質的研究の方法

いのちの〈現場〉を読みとく

波平恵美子 語り手
小田博志 聞き手

春秋社

もくじ

第2章 問題の見つけ方２ 29

〈聞き手〉による序文

方法論は経験に宿る

小田博志

尊敬する先達のお話を、直接うかがえるということは特別な幸運である。

私は本書の企画でその特別な幸運に恵まれた。医療分野の研究でも知られる文化人類学者・波平恵美子先生に、長年に亘る調査研究のご経験の中から、特に「質的研究の方法」を思う存分に語っていただいたのである。私はここで聞き役に徹した。

質的研究の方法を扱った本はすでに多く出版されている。その中で本書の特徴は、ベテランの研究者の人生経験から質的研究の方法を学ぶ点にある。よく教科書にあるような抽象的なまとめよりも、具体的なエピソードを通して研究を進めるためのコツをつかむことができるのだ。「方法論は経験に宿る」のである。

本書に盛り込まれた言葉を味読されるなら、読者はきっと質的研究の道を照らす智恵を学び取ることができるだろう。それは文化人類学に限らず、多様な分野で質的研究に取り組む学生や研究者にヒントとなり指針となるはずである。かくいう私自身が、波平先生のお話を聴きながら、そして本書の原稿を読みながら、その度にたくさんの気づきをいただいた。波平先生が関わってこられた主な領域は医療である。だから本書の内容は特に医学や看護などの分野で質的研究に関心を持つ読者にとりわけ役立つのではないだろうか。

パーソナル・ナラティブの普遍性

日本の民衆の生活の場をくまなく歩き通した宮本常一は、その自伝『民族学の旅』(講談社学術文庫、一九九三年)の冒頭でこう述べている。

> 私が民俗学という学問に興味を持つようになったのは私の育った環境によるものであると思う。(3ページ)

ここで宮本が言っているのはたんなる環境決定論ではなく、研究の方法論もその研究者の人生の経験のなかに埋め込まれていて、そのなかでよりよく理解できるということではないだろうか。それを実証するかのように、この自伝からは、類まれな業績を残した宮本の調査の仕方とものの見方、すなわち調査研究の方法論がいきいきと伝わってくる。

文化人類学にも、そして質的研究にも同じことが言えると私は思う。調査研究の方法論は、そのある研究者とその対象との具体的な関わりと切り離すことができないはずなのだ。私はいわば波平先生とナラティブ・インタビューを行って、その方法論を人生経験も含めてまるごと引き出すことを試みた。その結果、「研究とは何か、いかに行うのか」をありありと学ぶことができる、魅力的なパーソナル・ナラティブをここに収録できたと思う。

——『定本 柳田國男集』から「ケガレ」というテーマが聞こえてきた。

——医療者のグループから、「言葉を与えてくれた」と言われた。

こうした一見なんだろうと思う波平先生のフレーズの向こうに、経験に基づく智恵と、現場に根ざした方法論がある。それをぜひ読者には読み取って欲しい。それは、文化人類学や村落社会といった分野・対象の特殊性を超えるものだと思うから。

質的研究、そして文化人類学

波平先生のご専門は文化人類学である。この分野では常に質的研究が主要な方法論であり続けてきた。その点でとても珍しい分野だと言える。その理由は、「異文化」の理解が文化人類学の典型的な課題だったことである。既存の理論枠組みや方法論が通用しないのが異文化である。それを内側から理解するためには、研究者が時間をかけて観察をし、また現地の人々との対話を重ねていくほかない。つまり質的データを積み重ね、それに基づいて理論を展開せざるを得ない。この点で、文化人類学は質的研究の源流に位置すると言ってよいだろう。

この企画の発端は、国立民族学博物館で波平先生が代表を務める共同研究に、私もお招きいただいたことだった。それは文化人類学の研究者と医療分野の実践者とが集まって、文化人類学の現代社会における応用について検討する場であった。その際〈方法論〉が主要テーマのひとつとなった。人類学的研究と（医療などの）現場とをリンクする方法論は何かが議論されたのである。この研究会の成果は報告書（波平恵美子編「健康・医療・身体・生殖に関する医療人類学の応用学的研究」『国立民族学博物館調査報告』八五、二〇〇九年。雑誌『こころと文化』二〇〇五年四巻二号の「特集エスノグラフィーの実践――医学・医療における医療人類学の可能性」をも参照）で公表された。また私自身の著書『エスノグラフィー入門――〈現場〉を質的研究する』（春秋社、二〇一〇年）もその研究会から刺激を得ながら構想したものだ。

しかし、その場で私にひらめいたことが別にあった。「波平先生その人から方法論を引き出せるはずだ」というアイディアである。本書はまさにそれが形になったものである。波平先生のお仕事の意義は、次に紹介する多くの著作をひもとけば明らかである。しかしこれまでその方法論は明確にされることがなかった。本書では、〈波平人類学〉の方法論がいきいきとした言葉で語られるのである。

〈いのちの現場〉に立脚する研究

「いのちの現場を読みとく」——波平先生の学問を、私は本書のなかでこう表現した。その多様性と広がりをここで少し紹介しておこう。

波平先生は、私にとってまず『病気と治療の文化人類学』（海鳴社、一九八四年）や『医療人類学入門』（朝日新聞社、一九九四年）などの著作で、日本において医療人類学という新興分野を牽引していった方だった。さらに『脳死・臓器移植・がん告知』（福武書店、一九八八年）ではきわめて現代的なトピックに積極的に関わって社会的な注目を浴びた。続く『いのちの文化人類学』（新潮社、一九九六年）、『日本人の死のかたち』（朝日新聞社、二〇〇四年）、『からだの文化人類学』（大修館書店、二〇〇五年）では、その視点はもはや狭い意味での医療を超えて、普遍的な死生観の深みに達しているように思う。また、最近の著作では、靖国神社などの「政治的な」問題に対してもユニークな切り口で論じている。

これら「応用的」とみなされるお仕事においても、波平先生の論考は人々が生きている具体的な場に常に基づいている。どんな対象を論じようと、生活の実感に裏打ちされているのである。ここがフィールドワークを根拠とする文化人類学の強みである。

本書の対話のなかでは、波平先生の生活現場に密着したアプローチを、初期の『ケガレの構造』（青土社、一九八四年）、『ケガレ』（東京堂出版、一九八五年）の基になった調査経験にまでさかのぼって解説していただいた。現場調査のデータや先行研究の読解から、いかに理論を立ち上げていくかが語られた部分は、本書の白眉であろう。

研究と〈現場〉をつなぐ言葉とは？

ユニークといえば波平先生が書く上で想定している読者である。専門的な論考を展開する場合でも、それは生活や仕事の現場で生老病死の問題に直面している人々に向けられているように感じる。本書のなかでその書き方は、一九八五年の新聞連載（一九八六年に『暮らしの中の文化人類学』として福武書店、現・ベネッセコーポレーションから出版）のなかで形になっていったのだと語られている。ここにも質的研究者が学ぶ点があると思う。それは研究で得られた知を、いかに生活と実践の現場で活かすかという課題を考える上できわめて示唆的である。

〈語り手〉による序文

〈私〉と〈対象〉を問いなおす

波平恵美子

本書の目的と読者へのメッセージ

本書は、質的研究の重要性がますます明白になってきた現在、質的研究に何らかの関心を抱く人々に、そしてまた、質的研究が拓いて見せてくれる世界に興味を持つ人々に届けられることを願って作られた。

ところで、本書はやや変わったスタイルを持っている。それは、質的研究のおもしろさと可能性の大きさを知ってもらうために、いくつかの工夫をした結果である。また、本書が刊行されることになった経緯が関係している。

ひとつには多くの学生の論文指導をした筆者の経験から、文化人類学の質的研究としての方法論上の特徴や位置づけを整理し学生指導に生かす具体的で有効な方法を考えることの重要性である。いまひとつには私的に開催するゼミに学外から参加する学生の多くは医療や福祉関係の大学院生であり、質的研究で論文を書くことを予定している人々であった。調査の方法、データの量と内容、用語の違い、論文が問題解決を目指す提案型か否かなど、多様な研究課題を抱えていたが、しかし、それは、「質的研究」を余りにも狭くとらえているために、袋小路に入り込んでいる人々でもあった。そこで、質的研究の多様性と共通点とを明確にする必要を強く感じたからである。

さらなる関心は応用・実践の人類学の方法についてである。国立民族学博物館の共同研究会の代表者として、平成一六年から二〇年まで応用・実践の人類学における方法論の研究を目的とした研究会を主催した（「健康・医療・身体・生殖に関する医療人類学の応用学的研究」）。

この共同研究会のメンバーとして参加していた小田博志氏はウヴェ・フリックの『質的研究入門』（春秋社、二〇〇二年）の翻訳者の一人であり、質的研究やエスノグラフィーに強い関心を持ち研究成果を発表し続けている。小田氏は、共同研究会での議論を通して、筆者の著作と方法論との関係を具体的に著すことが質的研究の方法を示すうえで有効であると示唆し、その方法として、二人が対話を行うことによって、筆者のこれまでの研究上の軌跡を浮かび上がらせ、筆者自身にそれを相対化するための視点を提示することを提案してくれた。

その結果、本書は、小田氏と筆者との間で交わされた対話の記録をもとに組み立てられている。第Ⅰ部は、質的研究でつまづきやすい基本的な課題を掘り下げた。主に研究の初期の段階に比重をおきつつ、研究の全プロセスを通じて、くりかえし現れる方法論上の課題に応じるかたちをとった。章末には、対話を契機にかえりみた自らの方法論のエッセンスを、ダイアグラムにして収録した。つづく第Ⅱ部では、筆者の調査経験を語ることを通じて、質的研究とは何か、という問いに応えることを試みた。

たとえば、小田氏は筆者との対談のなかで本書の読者について次のように言う。

小田　本書は次のような読者に届けられたらと思います。調査法に関心を持っている人、つまり院生とか研究者——質的研究に携わっている研究者、あるいは文化人類学の研究者、研究者グループ——が対象になってくる。そして「生活者」です。「目の前のこの状況」をどう読み取っていったらいいのだろうという、関心をもった医療現場などで働く現場の実践者、それと生活者を読者とするような本であればいいと考えます。日々生きていくうえで病とか、年老いていったり、病院で治療を受けているとか、子どもを育てるとか、そういう広くいうと「いのち」に関わる問題に直面しているのが生活者です。これが、私たち自身なんですけれども。日々直面している状況をどうとらえていったらいいのかという生活者が抱く問題を考えていくうえでのヒントを与えるという本になればいいと思います。

読者の存在を意識しない著作はあり得ないが、本書は何よりも、この書を手に取ってくれる読者（オーディエンス）を意識して作られた。

本書が、質的研究に何らかの関心を持ち、さらには質的研究を自らも行いたいと考えている読者を、ことさら強く意識して作られたのは、「質的研究」は、根本的には、対象と自分自身との関係を問い直そうとする強い要望から生み出されたからである。そうした問いを抱くとき、「私は今どのような場所にいて、どのようなものに囲まれているか」ということ、さらに、「対象や環境をどのように、私自身が見ているのか」を知らなければならない。その行為は困難ではあっても、スリルに満ち、ワクワクするようなものであることを是非とも知ってもらいたい。また、今ある場所で問題を抱えていると感じている人には、その問題が何であるかを、新しい視点で眺める方法があることを読者に示すことを特に意識している。

ところが、現実には、「質的研究」を狭くとらえる傾向が続いている。これはまことに残念なことである。二人の対話のなかでこのことは度々議論された。

波平　私が考える本書の目的のひとつは、質的研究がやってみたい、だけどどうやって質的研究で論文を書くことを周囲の人々に納得してもらうか、と考えている人たちを勇気づけたい。それがこの本の重要な役割かなと思うんです。

そのためには具体的にどういう方法がとれるか、ということを示したいですね。

小田　質的研究というのは、僕の理解では、多様な方法や前提の総称なのであって、「これが質的研究だ」、というふうには言えない。『質的研究入門』を書いたフリックもそういう立場です。しかしたとえばグラウンデッド・セオリーという特殊な方法の紹介でしかないのに、「これが質的研究だ」と看板を掲げた本が出ています。カテゴリーをはき違えているところがある。それは気をつけなければいけません。

エスノグラフィーとエスノメソドロジーとか、実はかなり違っていたり、細切れ分析的な質的内容分析というものも成り立てば、もっとホリスティックな方向性もある……もっと多様であってよいと思うんですね。そのどれもが質的研究だという。

この本の場合、どういうふうに位置づけたらいいのかなと。この一冊で、質的研究がわかりますよ、と言ってしまうと誇大広告になってしまいますね。でも、ずっとベーシックなところまで降りていくと共通性というものもあるかもしれないんですね。研究者としてのリアリティーの向き合い方ですとか。

フリックでもそうですが、質的研究全体を語れる人というのはいないのではないかと思うんです。こういう教科書はいろいろありますが、やはり自分でやってみないとわからない、経験者の一言にはかなわないというところがありますね。この本の価値というのは、波平さんが長年の経験のなかでつかんできたこと、それはきわめてパーソナルで、具体的なんだけれど、逆に普遍的なものが見えてくる、ということなんだと思うんですね。

質的研究を試みようとする読者へ

本書では、これから質的研究を行う人たち、あるいはすでに質的研究を行っているが具体的な方法に途迷っている人たちに向けて、筆者が自分の研究を行ってきたプロセスをできるかぎり具体的に示すようにした。筆者はすでに、学生への論文指導の経験を基に、道信良子氏との共著で『質的研究　STEP BY STEP』（医学書院、二〇〇五年）を刊行している。この本は学生だけではなく、論文指導を行っている若手の教員を読者に想定して作られたものである。一方、本書は指導する立場というよりも、筆者自らの経験を小田氏との対話を通して思い出し、相対化したうえで、さらに、若い研究者や質的研究で論文を書こうと考えている人に参考になるようなかたちで提示した。提示するうえで、特に心がけた事柄、最も重要であると考えた事柄については印象に残りやすい文や句で示した。

生活者であり現場の実践者である読者へ

研究者もまた生活者であることはいうまでもない。ただし、ここでいう生活者、実践者とは、日々の生活や活動の場にあって生きている状況にそれまでとは違った感じ、違和感や何かしらの困難を抱えている、そして打開策を模索したり、生活の状況を見直そうとしている人々を想定している。「当たり前」であったはずのことが「当たり前」ではなくなった、また、逆に「そんなものだ」と思いこんでいた状況を新たな目で見ると、そこにいる自分自身の姿が客観的に浮かび上がり、さらには状況そのものが、従来とは異なるものとして見えてくることがある。

筆者はかつて福岡市に本社を置くブロック紙『西日本新聞』に「暮らしの中の文化人類学」というコラムを一九八五年四月から一九八六年三月までの一年間連載したことがある。連載中から、多くの読者から反響があったことを受けて、一九八六年に『暮らしの中の文化人類学』（福武書店、現・ベネッセコーポレーション）として刊行した。なお、この著書のなかに用いた資料のうち古くなったものを新しく入れ替え、『暮らしの中の文化人類学・平成版』（出窓社、一九九九年）として再度刊行した。

この本の特色は、筆者の文化人類学研究者としての視点を、調査を通して知ることになった調査地の人々の生活だけではなく、自身の子ども時代からの経験も分析の対象とした点である。つまり、生活者自分の経験も調査地でのデータと同列にすることを試みた。新聞紙上での連載であるということもあり、読者に多様な生活体験をした人々を想定したが、そのなかに自分自身も含めたのである。読者の一人として自分も居る、つまり、自分は書き手でもあり読み手でもあるという普通ではあり得ないことを試みた。

社会人類学の主要なテーマである家族、親族などを柱に組み立て、さらに、自分の子どもの頃からの体験や周囲の人々の行動について、自分がどのような感想を抱いたかも含めて、一話完結のかたちで記した。自分自身の体験を文化人類学の視点から見直すことを試みてみたかったこともある。

この著書『暮らしの中の文化人類学』について、小田氏は次のように指摘する。

小田　僕が読んでいるのは『暮らしの中の文化人類学・平成版』なんですけれども、波平さんのほかの著作とかなり違うスタイルをとっているというふうに感じながら読んでいるんですね。

それは「私」というものが登場するということです。どちらかというと、『ケガレの構造』や『ケガレ』あるいは医療人類学関係の本だと、いわば客観的な記述に徹しています。ここで書かれたようなアメリカの話はなかなか普段書いていないですよね。

急に「一九六八年から三年間、私は米国テキサス州に滞在した」というナラティブ（語り）が入ってきて、非常に印象的なんですね。あとがきでも「私の両親は」というバイオグラフィカルな語りがあって、恐らくこの辺りの語り方が、一般の方のなかに響いていくカギになっているのではないかと考えます。

波平　それは、生活をする人々である読者と私とが一体であり、それでもなお筆者である私は研究者としての立場にいるという際どい活動の第一歩を踏み出したからではないでしょうか。また、新聞に連載したものを本としてまとめようとした理由は、読んだ人々の反応のありようでした。西日本新聞の記者さんたちが何人も「バスのなかでこの記事を切り取って、ノートに貼ってスクラップ帳にして、それを読んでいる人たちを見かけました」と、編集者を通して私に伝えてきたんです。

これを読んだ人たちから感想として何を伝えられたかというと、「生活って、そう見るんですね」、あるいは「そういうふうに見ると今の生活が楽になります」とか、あるいは「それで父親のことがよく分かりました」とかでした。読者の方々にとっては、自分の体験の読み直し・再解釈のきっかけになっていたらしいんです。

小田　この記述のスタイルをとったのは何か理由があるんですか？

波平　新聞に五〇回、一年間書くように言われたときに、引き受けるには相当な覚悟が要りました。調査地のデータや文化人類学のエスノグラフィーがそれほど読者を引きつけるとは思えなかったのです。しかし、それに自分の体験を入れれば、間違いなく読者の関心を呼ぶだろうと思い当たったのです。そのくらい自分の子どものときからの体験というのは、豊かな体験だということに改めて気づいたのです。

ただし、このようなデータの扱い方は文化人類学者である著者としてのポジショニング（位置取り）のうえで重要な意味をもつとは、一九八五年段階では私自身それほど明確に認識していなかったのですが。

小田　こういうタイプの書き方には価値があると思います。

最近といっても八〇年代ぐらいからはよく見られることなんですけれど

も、エスノグラフィーのジャンルとして一人称のエスノグラフィー、ポール・ラビノーの『異文化の理解』であるとか、ナラティブ・エスノグラフィー、この場合のナラティブというのは調査対象者のナラティブを書くということではなくて、エスノグラフィーのなかに人類学者が登場してフィールドでどういう経験をして、どう理解を深めていったのかということを語るということなんですね。それも学問的なエスノグラフィーのスタイルとして認めていこうという動きもあります。

ですから、そうなっていくには必然性があって、それは人類学というかエスノグラフィックな研究において、エスノグラファーのパーソナルな存在がまさに研究道具になっていて、身体的な関わりなしには成り立たない。だから、私というものが登場してくるのはむしろ必然的なことだと思っております。

波平　文化人類学では、研究者が生れ育った文化ではない文化（他文化＝アザー・カルチャー）を研究対象とすることが今でも前提となっています。私の場合、フィールドが日本であることは「ネイティブ・アンソロポロジスト」ということになり、文化人類学の方法上で劣るとみなされがちです。そのため文化人類学の研究者としてのアイデンティティを確立するために、

「ネイティブ・アンソロポロジストとは何か」を自らに問い続ける必要が常にありました。それだけではなく、日本を調査地とすることから、民俗学と方法論において一線を画する必要がありました。

調査地のデータが自分の体験と同列に並び、なおかつ、自分の体験を通して得た何らかの結論を通して、そのデータを分析する、ということを民俗学の人々は長年行ってきているのですが、ところが当時の民俗学の人々は自分たちのそうしたあり方をまったく相対化していなかったのです。一九七三年の日本民族学会（現・日本文化人類学会）での口頭発表以来、ケガレ（不浄性）の研究を通して、民俗学のそうしたあり方を時には明確に、別の時には間接的に批判してきました。その一方で私自身はネイティブ・アンソロポロジストであり、研究者でありながら研究対象の人々と文化を共有している。それでは民俗学と自分のやり方との違いはどこにあるのかということを明らかにするための作業のひとつでもありました。その明確に意図した第一歩としてこの連載を組み立ててみたわけです。

従来の文化人類学では避けなければならないといわれてきた方法を採ったのには、実は後で述べるように、私自身の子ども時代からの周囲との関わり方があるのですが。

本書は、自分自身の研究経験を相対化し、さらにそれを提示するという点で、『暮らしの中の文化人類学』の別バージョンということにもなる。

自分が生きている「場」、それは常に周囲の人々との関係や、自分が置かれているその社会・経済の状況、そして加齢などの自分自身のなかで生じている変化のなかで形成されている。生活者は、自分が置かれているその「場」を意識せざるを得ないが、「場」を見ている自分自身、「場」の形成に時には主体的に関わっている自分自身は見えていないかもしれない。本書は、そうした見えていないものに気づいたり、異なる見方を得ようとしたり、見ている自分自身に気づいてみたい、と思う人々にも届けたいと願っている。

質的研究の方法

第Ⅰ部　質的研究のコツを聴く

第1章

研究とは、問題の種を見つけ、ふさわしい方法で育てること。

問題の見つけ方1

質的研究とは何よりも「問題を発見する」ことに強みがある。立てた問題の答えを見出すだけではなく、それまで気づきもしなかった問題の存在に気づき「問題を発見」することによって、研究全体の発展に貢献することができる。

質的研究における問題の発見

生活のなかに〝問題の種〟がある

小田　「どう問題を立てるのか」ということ、これは質的研究において研究の出発点となるほど重要な点だと思うのですが、これがまだよくわからないという人にどのようなことがヒントになるでしょうか。

波平　ひとことでまとめてみると「研究とは問題の種(たね)を見つけ育てることである。その種は日頃の問題意識や関心のなかに埋もれている」とでも言えるでしょうか。

小田　問題にも種類がありますね。

医療現場には医療現場の切実でアクチュアルな問題がある。アクチュアルな問題を扱いつつも学問的にも意義があるという、二つの世界にまたがるような問題がいい問題だとするならば、そういう問題をどう立てるのか、ということになります。

学問分野にだけ通用する問題だけを扱っては狭くなってしまう、現場で切実な問題だけだと学問的な意義がうすれてしまう。その両方をどうふまえるのか。いずれにしても問題というものをどう見つけ、設定するか――これはかなり大切であり、簡単でないことだと思うんです。

波平　「見つけた研究課題（問題）は大きく育てる」ということになるでしょうか。アクチュアルな問題は個別的な問題だと研究者もまわりも考えがちです。その問題がより広い、あるいは別の問題とも関連づけられれば、意義のある問題であるはずです。また、客観的に見て意義のある問題に取り組むには、その分野の理論や方法論を総動員することになり、結果的に、学問的な貢献をすることになります。

人類学の場合は、どのように問いを立てるのかとか、リサーチクエスチョン（研究課題）は何かといったことは、ほとんど言わないんですね。ただ看護の研究の世界だと、あなたのリサーチクエスチョンは何かということを言われる傾向がありますね。

「問題意識」は誰しも子どものときからあるはずです。研究というのは実は、日常のなかで疑問を持ったり、違和感を持っていたりすることがひとつの出発点になっています。

初めて論文を書こうとしたときに、「研究に当たって問題を設定するように」と突然言われても、とまどう人もいるでしょう。しかし幼い頃から、また今現在も、違和感を感じたり、疑問を持っていたりすることがあるはずです。そこから問いがはじまります。

「研究」と聞くとつい構えがちですが、このような違和感と「研究」は、無関係ではありません。その違和感に気づき立ち止まること。そこに「問題の種」があると言えるでしょう。

この「種」をいかに育てていくか、本書のはじまりに当たって、このことを念頭においておきたいですね。

問題意識から研究課題へ

やりたいことと研究課題をすりあわせる

波平　教員は、学生に「いい研究課題を立てたね」となんとなく褒めるんですけど、いったい彼なり彼女がどんなふうにそれを思いついたかについては、それほど詳しくは聞かない。だけれども、指導教員というのは「いい研究課題ね」と言いながらも「もう少しレベルの高いものを目指せないか」という評価を必ずしてるんですね。

ただし、教師は学生に向かって評価の基準はどこにあるかということをきちんと伝えていないことが多い。

小田　どんな研究課題が評価の対象になるのかを伝えることの必要性ですか。

波平　学生に対しては、ずばり「高い評価を得る研究課題を見つけ出す」と伝えてしまったほうがいいとも思うんですね。

どんな研究課題にすれば、高い評価が得られるのか。自分がどうしてもやりたいことと、きちんと評価してもらえるような研究課題とを、自分の内ですりあわせるなかで、研究の内容が具体的になり、レベルが高められていくので、重要なプロセスです。

問題意識と研究課題は分けておく

波平　特に研究を始めたばかりの人においては、「問題意識」と「研究課題」とを分けておくことが大事だと考えます。「問題意識」というのは、子どものときからある、日常生活のなかにもある、それを「研究課題」にするためには自分が抱き続けている「問題意識」もまた自分のなかで整理しておくことが必要です。

お茶の水女子大学で学部の三年生と四年生を対象とした卒論のゼミを担当して

いました。卒論のテーマを三年生になってすぐのときに立てなければならないのですが、最初は「何を卒論のテーマとして取り上げたい？」とたずねるところから始めて、三年生の終わりには「それでは書き始められる入口まで来たね」というところまで到達します。

私から見るとおもしろい研究テーマを考えたと思った人に、なぜそれをやりたいと思うようになったかをたずねると明確に言わない、あるいは言えないんですよ。

最初の段階で学校教育のこれこれをやりますという学生がいて、私は「これはいい研究なんですけど、就活をしながらこの卒論を書くのはちょっと重いテーマなので、これをもうちょっと軽くするという気はないの？」と聞いたら「いいえこれでやります」と。それをやるには、「一〇年くらい前からの何種類かの教科書の中から分析の対象としている項目を全部パソコンに入力することからはじめる必要がある」と言ったのですが「やります」って計画を変えないんですね。それは、大学院へ進学するのでなければ、あまりにも時間と労力がかかりすぎる卒論です。その研究テーマを具体的に実施する手順をゼミで報告しているうちにその学生はやがて、小・中学生の頃にいかに教員が自分の発言に無理解な対応をしてきたかということを語りはじめました。彼女の研究課題は、自分の学校教育の体験を整理し、次のステップへと踏み出す手段だったのです。

自分の研究をいい研究にするためには、研究課題に行きついたときに自分の動機づけがどこにあるかを自分のなかで明確にしておくことが必要だと思います。

手元の道具にふさわしい問題を立てる

波平　ところで、一番の問題は、研究課題がどんなによくても、自分が使える方法論と結びつかないときがあるんですね。道具立てがそろってないのに、大きなテーマをやろうとするわけです。

研究課題を立てるときに、「手元の道具を検討しながら、研究課題をたてる」ということを納得させるためには、その研究課題にどういう道具がそろっていなければならないかということを分かってもらう必要があるんですね。そこを実は教員が指摘しなければならないんですが。

小田　実現可能性の検討ということになりますか。

波平　そうです。「研究課題を立てる」ということと「研究があるレベルまで行くまでの実現可能性」とのかねあいのところで、研究課題を立てないといけないわけですね。ですけれども、研究意欲があって、非常にまじめで一生懸命な人ほど、研究課題のレベルが高すぎるんです。

これはやはり初期の頃に整理しておかないと実際に卒業論文を書きはじめると行き詰まってしまうんですね。

自分がおもしろがってこそ

小田　卒論生にしても大学院生にしても、自分の抱えている問いを明らかにすることは愉しいことでおもしろいことなんだということ、それを経験してほしいなと思います。

単純に、自分の疑問に思っていることを明らかにできるなんてこんなにおもしろいことはありません。

僕は学生に「とりあえずは自己満足でもいい。自分一人が満足できるだけでたいしたものだよ」、ということもあります。なおかつ、まわりの指導教員とか読者が満足できればそれは最高だけど、論文は「難しいもの」だという思いこみで書かれた訳の分からない文章を読まされるのは苦痛です。誰も満足しない論文を書くよりは、まず自分がほんとに愉しんで書いて欲しい。結果的にそれが読む方にも伝わるはずです。

研究課題は育てるもの

小田　研究課題を立てるということは、実は多要素のからみ合いのなかで成り立つ行為ではないでしょうか。幼少期からの問い（問題意識）を保ち続ける、学問的な世界にも位置づける、アクチュアルな社会的な問題とも関連づける、講座内の指導体制もふまえる。こうして多くの要素をふまえて、いかにいい問いを立てるのかというのは実はけっこう難しいことです。

波平　たしかにそうですね。しかし、あくまでも出発点は自分なのではないでしょうか。「研究課題は自分のなかにある」のです。

小田　それは「種」としてある、ということですね。せっかく種から芽が出ても、よい環境が与えられないと立ち枯れになってしまいます。その点を注意しなければなりません。

波平　自分のなかに種があって、それを外のデータとどう結びつけていくか。自分のなかにある研究テーマの種を、調査や観察したデータを肥やしにして育てていくわけですよね。

小田　そうですね。「なかにある可能性」と「まわりの環境」との間で研究テーマというのは育っていく、ということですね。

自分のなかにある、そんなものを研究テーマにしていいの?って思っている人もいるかもしれないし、自分のことだけしか見ないで、誇大なテーマを設定してしまう人もいる。自分のなかと共に、まわりの環境をも見て、両方踏まえてこそ、よい研究課題を育てられる。

種を育てるというのはいいメタファーですね。種の可能性をひきだすには水をあげたり手入れしたり、虫をとったりして環境を整えてやらなければなりません。また、砂漠に種をまいても芽が出ないように、そもそもどんな環境かをよく見て選ばないといけません。どんな環境かというのをよく見ないといけない。種が持っている可能性を引き出せる、よい環境を整える。そのなかでよい果実（研究の場合なら論文）が形になっていく。

波平　「研究とは、種を見つけ、育てることである」、あるいは「研究テーマというのは、種を見つけ、それに適した栽培法を考えることである」ということですね。

レシピは作りながら考える

小田　ちょうど今行っている学部生向けのゼミでは、前期で研究計画を立てて夏休み中に調査を行い、後期に分析結果を報告してもらっています。そのとき「エスノグラフィーの分析というのは料理のようなものだ」と言っています。素材（つまりデータ）だけごろんとあっても食べられないので、料理をする必要があります。道具を使って、食べられるように切ったり焼いたりする、つまり研究に置きかえると、分析という作業をして論文ができあがるのだというわけです。

エスノグラフィー、そして文化人類学的研究の特徴は、あらかじめレシピが決まっていなくて、即興的に調理法も考えていくという点ではないでしょうか。素材の特徴を活かす、というのがそのときのキーフレーズになるでしょう。

同じ質的研究でも、手順・工程がかなりの程度決まっているものもあって、それに材料を合わせてゆくというものもあれば、手順がきわめてルーズで、まず材料を見てからそれに合わせて手順を考えるというものもあります。後者の典型がエスノグラフィー研究でしょう。

波平　そうすると、材料を見てからディッシュというか、「〇〇料理」という名前がつくものを考えるわけですよね。料理をしながら、レシピをそのつど考えていくわけですね。

小田　そうです。その意味でエスノグラフィーは、決まった製品を決まったやり方でつくっていくというのではなく、木なら木を前にしてその持ち味を活かしていくアーティスト的職人（アルチザン）の仕事と共通していると思います。

質的研究は手仕事、まずは素材に向き合う

小田　標準化された方法がないということは、この場合は欠点になるわけではなくて、むしろ素材の味を活かすということになるわけです。その場合でも、作品のよしあしというのは常に問われるし、実際にその作品を見たらその職人の腕のよ

しあしは分かるわけです。

最後の評価というところに関わると思うのですが、今の質的研究の世界のなかでは、手順の科学性とか妥当性ということはよく言われるのですが、標準化された方法がないとして、そのプロダクトをどういう基準で評価するのかということは、あまり明確になっていないようです。

波平 私も「評価」の「基準」は議論しても評価の「方法」というものを、特に議論したことがないですね。博士論文の審査などでも。議論しないままでも、審査委員はみんな確信的に評価しますので、自ずと基準はあると考えているようです。質的研究がアルチザン（アーティスト的な職人）なら、量的研究は何になるでしょうか。

小田 フォード生産方式に典型的な工場生産のやり方では、まず、つくるべき製品とその製造の手順が決まっていて、それに従って素材を仕入れます。そこでは、誰がつくろうが、同じものが大量にできてくる。反対にアルチザンの手仕事の場合は、誰がつくるのか、どんな素材を使うのかに応じて、製品が決まっていきます。

波平 工場生産の場合は、製品がどのようなものになるかはすでに決まっている。したがって、プロダクトに対する評価基準も評価方法も明白なわけですね。

小田　工場生産とアルチザン的なプロダクトへの評価が同じであってはいけないということになります。

波平　そう考えると、民俗学のかつての多くの研究はアルチザン的な仕事なんだけど、柳田（柳田國男。戦前の高級官僚としての業務のかたわら民俗学の研究を開始し、数多くの弟子を養成すると共に尨大な著作を残した。柳田民俗学ともいうべき民俗学におけるテーマ、調査法、分析、理論を提示した）がつくったレシピを使って、他の人が同じものをつくろうとする。しかし材料がなかったら研究ができない。あるいは外の素材に目が向かないので採用しない。

小田　そのレシピがあるから、その範囲でしか収穫ができない。それ以外にもよい素材があるのに、手に取ることもしないなどということになりかねない。

波平　つまり、レシピを考えるまえに、「データをくりかえしくりかえし見る」ということ。質的研究においては、この「くりかえしデータを見る」ということが大変大切だといえるでしょう。「捨てる素材はない」「レシピはつくりながら考える」「素材はフィールドで初めて見つかる」ということでしょうか。

小田　はい、分析作業の決まったレシピがないだけでなく、データ収集のレシピも決めてしまわないということですね。調査の現場に対して開かれた心で臨んで、そこで得られる見聞を大切にする。そしてその見聞を捉えるに適した概念的枠組みを考えていく。それが分析の作業ということになるでしょう。

1 研究とは、種を見つけ、まき、育て、収穫すること

▼1

研究とは、植物を育てる行為に似ている。

▼2

良い種を見つけようと目をこらすように、常に良い研究テーマを探すことを心がける。

少しでもオリジナリティの高いユニークな研究をしたいと望むなら、常に、自分にとって興味・関心があるだけでなく、社会の関心の対象となっているトピックスや現象に目を向ける。そのトピックスや問題に、自分の研究領域からはどのようなアプローチが可能かを考えてみる。自分の研究テーマに近い先行研究だけでなく、より広範なテーマにも目配りし先行研究を日頃から読んでおく。

▼3

種をまく時期や場所を慎重に選ぶように、
研究計画は冷徹に計算して、状況判断のうえ、研究を開始する。

▼4

より多くの収穫を得ようとすれば、まいた種に水や肥料を与えて育てるように、先行文献を読み、研究の中間段階での考察を発表する。コメントをもらい、議論を深める。

論文の完成を急ぐあまり、限られた文献のみを読むだけに留ったり、「混乱するから」という理由で、他の人と議論するのを避けたりするのは、研究成果を貧しいものにする。

収穫を終えたら、次のシーズンのための種取りをするように、研究を発展させ新しい展開をするため、研究成果を充分に査定する。

・研究成果公表のあとは、できるだけ多くの人に読んでもらい、コメントや批判をもらう。
・批判されたことから目をそむけない。
・同じように、評価が高かったのは、何によるのかを考え、そこをさらに発展させた研究計画を立てる。

次のシーズンは、より多くの収穫を得るには、悪い種（たね）は捨て、良い種だけを残すように、評価が高かった点をよく点検し、次

の研究では発展させる。

・批判を気にするあまり、あるいは、批判されないようにと防御的になりすぎるあまり、次の研究を立てられないことがある。批判から目をそらさないように、ただし、たじろがないように。

批判は、次の発展のための肥やしにする。

2

問題意識を持ち続けること。それは優れた発想を生む

▼1

質的研究のうえで優れた、意義のある問題（リサーチ・クエスチョン）を立てることができるためには、自分の興味関心のある問題、あるいは、時には幼いときから抱いている疑問や体験のなかから生じた問題を簡単に捨て去らないことである。

［波平の体験］

一九四七年六月に、弟が一歳六カ月で死亡した。父母は、当時としては遅い子持ちで、父が四四歳、母は三六歳であり、ひどく嘆き悲しんだ。父母にとって子供は筆者一人だけになった。火葬場での次のできごとは、当時四歳六カ月の筆者にとっては驚きであり、長い間疑問に思ったものである。レンガ造りの火葬炉から、弟の火葬骨が引き出されたとき、父は弟の身体が頭蓋から足の指まできれいにそろった、身体の骨格がその

まま残ったかのような状態であるのを見て、満面の笑みを浮かべた。そして、火葬場の職員に何度もお礼を言い、かなりぶ厚い札束をそっと渡した。（ただし、当時は日本円の切り替え時期であったから、たいした額ではなかったかもしれない。）

そのあと、父、母、筆者の順に並んで骨を竹の箸でつまみ上げ骨を順に渡して最後に職員が壺に入れたことと共に、強い印象として筆者のなかに残った――

「なぜ、あのように男泣きに泣いていた父が、弟の骨を見て笑ったのか」

「なぜ、職員に〈こんな小さな子を、
こんなにもきれいに焼いてくれて、ありがとうございます〉
とあんなにも深々と頭を下げてお礼を言ったのか」

この問題関心は、筆者の後の著作『からだの文化人類学』（大修館書店、二〇〇五年）にまとめられた身体観の研究につながる。また、それに先立つ一九八八年以降の遺体観と臓器移植との関わりの一連の研究に生かされている。

第2章

問題を見つけるには、「相対化」の視点が重要になる。

問題の見つけ方2

質的研究の強みは、問題を発見することにある。そのためには、「相対化」する視点を獲得することが必要になってくる。相対化の視点とは、対象を、対象を見る自分自身とはまったく異なる存在として扱う「客観化」とは違い、対象を見ている自分、対象について語る自分自身も暗黙に含んだものの見方のことである。それは、地図を描いたり地図を見る行為に似ている。

質的研究における研究対象の相対化

「距離をおく」ということ

波平　医療の現場にいる人たちが、自分の職場でのできごとを対象に研究する場合を考えてみましょう。研究課題は自分の前に立ち現れるんだけど、その立ち現れるものは、非日常じゃないんです。日々対処しなければならない業務の一部です。
　一方、人類学の場合は、研究そのものが非日常であることが前提になっています。自分が育った文化ではない「アザー・カルチャー」を研究対象とするという方法は、対象から距離をおくための方法のひとつです。でもたとえば看護の職にありながら研究を行おうとする人たちは、そうじゃなくて、日常の中から研究課題、あるいはそれに先立って問題意識を持たなくてはなりません。そういう人たちに向かっては、研究対象からは、実は距離をおかなければならないということから分かってもらう必要があります。

小田　そこですね――「距離をおく」。

自らを「よそ者」の視点で見てみる。making the familiar strange――自分にとって当たり前のことを奇妙と捉える……これは人類学の常套手段の「相対化」ということでもあります。

波平　何よりも質的研究では自分が生きている状況を相対化することが問題そして研究課題の発見につながるのですから。

小田　学生相手によく例として引き合いに出すのは、「社会人」という言葉です。「この言葉をみんな当たり前に使っているでしょ？　でも実は翻訳が難しい言葉なんです」と学生に言います。それぞれの社会には、そこに固有の人間を分類するカテゴリーがあって、「社会人」は現代日本に固有のカテゴリーといえます。では「社会人」とは違うカテゴリーって何？とたずねてみる。たとえば「学生」である。その間に「就活」というのがあります。こう考えると、「就活」は、人類学でよく論じられる「通過儀礼」の一種だと思えてきます。日本的な現実のなかにいると、「社会人」という言葉が非常に特殊で、現代の学生のライフコースを拘束しているような文化的な強い意味のあるカテゴリーだということが相対化できないんですね。でも、そういうふうに指摘してみると、みんな「ああ」、と言うわけです。

後に詳しくふれますが波平さんが気づかれた「遺体」と「死体」は違うということも、看護の現場の人たちは、日常的に使っているんだけれど、それらがいかに、どのような意味を担っているかということに気づかない。問題として気づかない。それをいかに問題として、距離をおいて気づけるようになるのか、ここが大事なわけですね。

自分の生活から現場を見る

小田　研究として意義があって、なおかつ現場にも新しい光りをあてられるか——ここには何かコツがあるでしょうか。学生たちに向けて。

波平　看護を含む医療現場にいる人々にとっては、医療現場も日常ですが、業務の場から離れると家族や地域の人々との生活があり、こちらも日常です。家族との生活の方から業務の世界を眺めるという視点が獲得できさえすれば、医療を相対化できるはずですし、そこに問題を見出し、さらに研究課題を発見できると考えるのですが。

小田　日本において、なぜ脳死臓器移植が浸透しないのか、ということを疑問に思った学生が、それについて明らかにしたいと研究にする。波平さんであれば、死体観、遺体観というものに着目する、そういう方向に繫がっていくような……たんなる意識調査をするということではなくて、それにはどういうアドバイスをしたらいいでしょう。「なぜ日本で脳死臓器移植が浸透しないのか」は、誰もが持つ疑問だと思うんです。それをどう研究設問として高めていくのか、ということですね。

波平　医療現場にいる人たちは、「遺体」という語をなぜ使うのか教えられています。患者の死体をあたかも家族や身内のように思い扱いなさい、あるいはそう思っていることを患者家族に見せるためには重要です、とあらかじめ教育されています。したがって、わずかなヒントを与えられれば、研究課題にたどり着くでしょう。

質的研究では多様なものをデータとする

波平　しかし、一般の学生の場合は、一般に流布する言説を疑ってみる手段が、医療に関わる学生よりはるかに少ないのです。そこで、まず、今までそれについて書かれたものをできるだけ集めさせます。そしてそれを読んであなたが納得したかどうかということをまず書いてみて、と。それに関することを集めて読まないかぎりは、よく知られている人の書いたものをひとつだけ読んで日本文化って脳死臓器移植を受け入れられない、そんなもんだ、とそこで思考が止まってしまう。でも、日本文化なるものについて識者がどういうふうに書いているか、ということをたとえば二〇人分読んだら、それのおかしさが見えてくるわけですね。

小田　そうすると、自分が当たり前だと思っていることにも疑いの目を持つ、距離をとることができるようになる、と。

波平　同時に、自分の考えが、いかに人の受け売りなのかということに気づきはじめる。自分で考えなければ何も始まらないのが質的研究です。「一般言説の霧が晴れれば研究課題が見えてくる」のです。

小田　なるべく多様なデータを網羅的に集めてそれを読んでみる。それはデータの分析であると同時に自分自身の思考の相対化にもつながるということでしょうか。

「相対化」が鍵

小田　「相対化」という言葉自体、どれほど一般に通じるでしょうか。

波平　すぐには分からないのではないでしょうか。相対化については、文化人類学の授業で必ず教えようとします。でも、相対化について話したあとに、分かっているかどうかを確かめるために、相対化の視点で見えてきた事例を挙げるようにとレポートに書かせてみると、たいてい、「客観的なものの見方」と「相対化」の区別がついていない。

小田　質的研究の問題設定にあたっては「相対化してみる」ということが鍵になるわけですが、それがそもそも分からない人にどう言ったら分かってもらえるでしょうか。それは「いい問題を立てる」ことの前提にもなる重要なことなのですが。

波平　「相対化」のためには訓練や練習が必要ですね。事例を挙げながら、次第に身につけていくようなものでしょう。

小田　「相対化」ができるためには、まず自分自身がいるところを距離をとって眺めてみることが前提になると思います。この点で、地図は、「相対化」がどのようなことなのかを説明する「距離をとる」ことのメタファーとして非常に使えると思うんですね。そして、自分自身を距離をとってみることができるようになると、それまで自分が当たり前だと思っていたこと、疑いもしなかったことが、実は絶対的なものではないことに気づく余地も生まれてくるでしょう。違った視点から見たら、自分たちにとって当たり前のことも、実は奇妙なのではないか。自分にとって奇妙に映る他人の行動も、その人の視点に立つとよく理解できるのではないか。このように「風通しのよい視点」を取れるようになることが、「相対化」できることだといえるでしょう。

人類学や質的研究で、「内部の視点を理解すること」だとよく言われますが、それだけなら、「内部」の人に語ってもらえればいいんです。そうではなくて、内部者の視点に立ちながらも、よそ者の視点で見る。それは地図を作る視点です。ちょうど、地図のない土地に入っていって、そこから地図を作る、というような。新しくその土地にやってくる人が、この土地にはこういうふうに行ったらいいんだと分かるような知を提供するのが人類学であり、質的研究ということになるでしょうか。

文脈感覚を身につける

データの意味は「環境」で変わる

小田　くりかえしデータに接することで浮かび上がってくるものがありますね。

ぼくは博士論文研究のために、十数名の人々とナラティブ・インタビューをいたしました。ひとりあたり一時間半から四時間に及ぶ録音データを逐語的にテープ起こしをして、何度も何度も読むんですね。そうするうちにそれぞれのナラティブのテーマが浮かび上がってくるという経験をしました。最初のうちは目の前の字面の解釈に追われているんですけど、何度も読むうちに全体が見えてくる、僕なりの言い方をすると「データを身につけていく」という感じです。楽器の奏法を身につけるように「データを身につける」。楽器に喩えると、個々の指の使い方などに気をとられる段階から、身体の一部になって、弾きこなせるようになる。これは楽器の奏法を身につけるということですね。恐らく質的データの扱いにも同じことが言えると思うのです。

波平　「データを身につける」というのは、とてもいい言葉ですね。私は学生に「データを愛しなさい」ってよく言いました。「データを身につける、データを身体化する、自家薬籠中のものにする……」ということなんですよね。くりかえし読むことで。

データを食べる……という言い方もありますね。食べたら、消化しなければならない……データをよく噛む、咀嚼して栄養素に分解する。

……どう言ったらいいんでしょうね。同じデータが、別の文脈のなかで、別の意味を持つ、というのは、くりかえし読むことをしないと出てこない。同じデータを別の文脈のなかで使うことができる。これが人類学のおもしろいところなんです。

一つのデータを一回使ったら終わりではないんです。何度でも別の論文のなかでも使うことができる。

量的研究を規範にして、質的研究も厳密に考える人は、もともとの条件がちょっとでも違ったら、前の論文で使ったデータは使っちゃいけないと言うんです。それは質的研究の本来の役割からすれば、おかしい。それは研究というのは、常に発展してゆくものであるから、前のデータは今のデータを分析するときの参考にするべきで、これはこれ、あれはあれ、という研究はありえないと思うんですけど、学外から私を訪ねてきた学生がそう指導教員から言われていました。その教員のイメージにあるのは、実験室での無生物を使い条件を選びその条件をそろえたうえで行う実験研究です。日常的な生活をおくっている人間を対象にした研究をやめろというのと同じです。

そういうときは、「あなたはもう、そのことを論文で発表しているんだから、引用しなさい」と言います。引用すれば、問題ないわけです。こういう条件で研究した場合にこういう結論が出ているけれど、今回はこういう条件に変えてこういう結果が出た。では、二つの違いはどういうところであって、二つの違いから何が言えるか、と。それなら通るわけです。

小田　それは文脈との関係のなかでデータを見るかどうか、ですよね。同じ人間だって、文脈が変われば、表情も姿勢も変わる。データも同じで、それ自体が独立してあるわけではなくて、置かれる文脈によってその意味合いが違ってくるのです。実証主義的、科学主義的になるとそういう見方をしませんね。文脈から抜き出して、データを操作可能だと思っている。そこが人類学とものすごく違うところだと思いますね。

波平　ひとことでまとめると「文脈感覚を身につける」ということになるでしょうか。

小田　看護の研究者のなかにはこうした「文脈」という言葉の使い方になじみがないという人がいます。「文脈理解」とは分かりやすくいうと、対象をそのまわりとの関係のなかで捉えるということですね。ある言葉の意味は、その前後の言葉との関係のなかで決まってきます。たとえば、「結構です」という言葉の意味が、「よいです」なのか、「要りません」なのかは、その前後の言葉を知ってはじめて判断できます。これは本来の意味での文脈です。文化人類学では、この姿勢を拡大して、言葉以外のものごとの意味も、それが置かれた状況、すなわち広い意味での文脈との関係で決まると考えるわけです。

文系理系という分け方をよくされますけど、実際は、あとで触れる米盛さんという哲学者が書いた『アブダクション——仮説と発見の論理』（勁草書房、二〇〇七年）という本が人工知能の研究者に読まれたりするように、本当のところはクロスオーバーしてるんですよね。清水博という生命論の分野で『生命を捉えなおす・増補版』（中公新書、一九九〇年）といった重要な著作を発表している研究者がいます。この人は薬学部出身です。その立場もやはり文脈論的で、生命現象は文脈のなかで理解する必要があるといっています。

だから、医療は自然科学だから、科学的で文脈を見ない、ということはなくて、科学的であるからこそ、文脈を見ると言ったっていいはずなのです。

「文脈」が分かりにくければ、「環境」という言葉でもよいのではないでしょうか。エコロジー（生態学）でいう「環境」は「文脈」の概念と通じるところがありますから。

生き物にとっての環境は、言葉に対する文脈だとさしあたり考えてよいでしょう。

波平　同じ種でも、環境が違えば、大きさも毛色もずいぶん違ったものになるように、ひとつのデータも、まわりのデータとの組み合わせによって、ぜんぜん違った意味を持つ、という比喩ですね。

3

質的研究には、常に相対的視点が必要である

▼1

相対的視点とは、地図を描き、地図を読み、他人に地図を示すようなもの。

（1）地図を描くとき、意識しているにしろ無意識にしろ、描こうとしている空間と自分のいる位置との関係を含んだうえで描く。地図のなかに自分のいる場所が含まれていなくても、自分が見ているであろう位置を前提として、方位、距離、道路や建物、山や川などの配置、描き出そうとしている空間の範囲を考えたうえで地図を描く。「相対的視点」とは、このように、地図のなかには、見える形で示すか示さないかの別なく、描き手の位置は自動的に含まれ、かつ客観的な対象としての方位や道路などが描きこまれる。

（2）地図を示された人は、意識しているにしろ、無意識にしろ、地図のなかに自分を置いてみて、そこに描かれている内容を、位置関係や距離や広がりを理解する。また、現在自分が地図に描かれている空間のなかにいるかいないかは、ただちに判断される。

（3）また、地図を読む人は、意識するにしろ、無意識にしろ、地図を描いた人がどのような視点で描いたか、地図を描くうえでの位置（positioning＝位置取り）に従って読む。それは、現在日本にいる人が、友人に、自分が訪問したことのある外国の町の様子を地図で示す場合も同じである。

第3章

データは持ち歩き、くりかえしくりかえし見る。

質的研究におけるデータ

質的研究においては、データは文脈が異なると別の意味を持つという前提に立って何度も読み、そのデータの意味について考え抜くことが必要である。つまり、一回切りの使い捨てではない。新しい研究課題で研究を始めても、以前集めたデータは、新しいデータの意味を考えたり、そのデータを分析するときに参照することができる。それをくりかえすことによって、分析のレベルを上げることが可能となる。

質的研究におけるデータの位置づけ

データの持ち味を活かす

小田　本章では、データをどう扱うのか、事例とは何か、事例と理論との関係とは何か、ということについて考えながら、データと関わるコツについてお聞きします。

医療研究の世界では、事例研究、ケーススタディというのは、一段下に見られて、それは「たんなるエピソードではないの？」と言われたりすることもあるようです。

しかし、波平さんがやっておられるのは、事例報告ではなくて、理論を体現するような構造を担ったものとして事例を扱う研究ですね。波平さんは、事例をどのように捉えているのか、そこでは事例と理論はどう結びついているのか……。

グラウンデッド・セオリーの場合には、データをコーディングによって多くの概念に分けてから、理論を構築するという方法をとるようなのですが、先生の場合はどうなのでしょうか。

波平　グラウンデッド・セオリーにおけるデータ処理と、私のデータの扱い方は、あるところまで、似ていると思うんですね。ただ、グラウンデッド・セオリーで導き出すコーディングというのは、私から見るとデータが持っている意味をあまりにも単純に考えているように見えるんです。

集められた事例がたくさんありますね。その一つひとつの事例というのは、相当複雑な語りであったり、多くの行為の連続の観察であったりするのですが、私はそこから幾通りもの解釈を出してくるわけです。ひとつではない。むしろ、ひとつであってはならないはずです。コーディングする前の段階で、この豊かな語りのなかからコードを引き出すというときに、それしか出ないの?と私は思うわけです。いくつも出てくるんじゃないの?と。意図的に、データの複雑さあるいは意味の多重性を無視して、研究課題に沿ったものにしやすいような近道を探しているように見えます。コーディングによって生のデータを単純化して、単純化したものをさらに単純化して、結局もとの状況はどんなものであったのか想像することさえできない。元のデータに戻れない。

グラウンデッド・セオリーを使って書かれた研究の多くを読むときの一番悲しいところはですね、結論が示す内容の貧しさです。聞き取りのデータをとってグラウンデッド・セオリーの手法で論文を書いている人が、そのプロセスのなかでアドバイスを求めに来たときには一次資料を見るものですから、こんな豊かなデータから、なぜこんな貧しい結論しかでないのかと、悲しくなります。この感じがいつまでたっても抜けないのです。質的研究によって得られた結論とは、もとにある生のデータを推測させるようなものでなくてはならないという考えが常に私にはあるのです。

ところで、文化人類学におけるエスノグラフィーというものの位置づけは、だんだん変わっていっていますが、一九六〇年代に私が学生時代に習ったことは、エスノグラフィーというもののは、あたかもそこに自分がいるかのように読ませる、そのように書くことが大事だと。となると、当然ながら全部を書くわけにはいきませんから、厳選したエピソードで「そこにいるかのように」思わせるものを書かなければならない。そのため卒論のときから「どうしたら厳選したデータを示したことになるのか」ということを考えていました。現在では、こうした対象となる人々を研究者の側が〝厳選したデータ〟で〝恣意的に〟描き出して提示する行為が〝権力的である〟と批判されているのですが。

ところで、グラウンデッド・セオリーというのは、何を目的として、何を明らかにしたくて、ああいう手法が考えられているのだろうという疑問を持ちます。

小田　今日ではグラウンデッド・セオリー・アプローチも多様化していて、一枚岩的には語れないことを踏まえたうえで、代表的な教科書のひとつ『質的研究の基礎』（コービンとストラウス、医学書院、一九九九年）を例にとると、そこには線形の思考、すなわちデータをばらばらにして、それを組み立てることによって全体としての理論が完成可能なんだという考え方があるようです。部分を足せば全体になるという考えです。

しかし映画を例にとると一本の映画としてわれわれは感動を受けるわけじゃないですか。人間の認識の仕方って、ばらばらのものを組み立てるというよりは、一挙にこのデータにはこの意味があるんだ、とトータルに〝看て取る〟という性質があると思うんです。そうしたトータルな把握力があまり使われないような印象を受けます。

波平　なぜ使わないんでしょうね。

小田　それはストラウスらが、この研究方法をつくりあげていった時代の学問的環境に関係していると思うんです。量的研究がスタンダードだという状況のなかで、それにすりあわせなければならなかった。コーディングのような言葉は、量的研究にすりあわせるための言葉です。量的アプローチが優勢な世界で受け入れられるような方法、言葉使いをしたというわけですね。

波平　その言葉使いをし、そのプロセスをまねたということのために質的研究の必然性、必要性というものをいつの間にか忘れてしまっていますね。質的研究においてはこれにまさるものはないと考えている功罪の罪ですね。これはもっとみんな深刻に考えなくてはならない。

小田　グレイザーとストラウス（アメリカの社会学者。質的データに基づく理論産出の方法論を明示した一九六七年の『グラウンデッド・セオリーの発見』は、その後の質的研究の発展に大きく寄与した）などグラウンデッド・セオリー・アプローチの創始者は、量的方法論に近い言葉を使いながらも、それが方便にすぎないことを自覚していたと思うのです。そのうえで、量的アプローチを超える方法論をあみだそうとした。それは彼らの最初の本のタイトル『グラウンデッド・セオリーの発見』（邦訳『データ対話型理論の発見』新曜社、一九九六年）にも表れていますね。つまり、これは既存の理論の検証ではなく、新しい理論の発見をするための方法論なんだとうたいあげたわけです。しかし、いったん、方法論が定式化されると、それを何か機械的に守るべき手順のように捉える傾向が出てきてしまうのでしょう。

学生が、とてもいいデータをとってきたとします。しかし、そこで、なんらかの決まった分析手続きを明確にして、これに沿ってやりました、と言わないと評価されないという制約がある場合に、そのなかで、データの持ち味を殺さずに、なおかつ方法論的な説明責任をとりながら、修論・卒論として通るような研究をどうすれば書けるのでしょうか。

波平　これはもう浸透しきっていますので、覆すには相当な力がいるんですよね。

小田　「えらい人の指示に従う」「既存の決まった手順に従う」という基本姿勢をやめた方がいい。誰々先生の指示、というように、それに従って研究すると独創性が削がれてしまいます。

ドイツでは、グラウンデッド・セオリーはむしろ新しく入ってきたもので、もともとスタンダードな質的研究のメソッドとして、「質的内容分析」が普及していました。それに比べて日本の質的研究の世界ではグラウンデッド・セオリーの存在感が強いように思います。

波平　グラウンデッド・セオリーというのは有効だけれど、唯一の方法ではないし、多くある方法のひとつでしかない。質的研究においては、「素材（データ）を活かす」というのが重要だという原点に立ち返る必要があるのではないでしょうか。

小田　これはフリックが『質的研究入門』のなかで言っていますが、質的研究の基本姿勢のひとつは「対象に適した方法を使う」ことです。素材の持ち味を殺す質的研究なるものは、本末転倒です。

質的方法論と現実との向き合い方

なんのための「方法」か？

小田　どうして今回僕が波平さんの採ってこられた方法論を、お聞きしたいと思ったのか、お話しておきたいと思います。

まず、ずっとさかのぼると学部時代に、方法に関する教育がほとんどなかったんです。当時京都におすまいだった宮地尚子（文化精神医学、医療人類学を専攻し、『トラウマの医療人類学』（みすず書房）などの著書がある）さんのところに遊びにいったとき、ハーヴァードでの留学からちょうどお帰りになったところだったんですが、先ほど触れたグレイザーとストラウスの『データ対話型理論の発見』の原書を持っておられたのです。「これ何ですか？」と聞いたら、「人類学者なのにグラウンデッド・セオリーを知らないの？　恐ろしい……」と言われてしまいました（笑）。初めて聞いた言葉でしたし、ストラウスという名前も知らなかった。こんな領域があるのだと気づきました。

それからドイツのハイデルベルク大学医学部で博士論文を書くことになったとき、どんな方法をとったのか、どんな基準でどんなふうにサンプルをとったのか、ということを厳密に示さないと認められないので、自分の方法、方法……と探していたときに出会ったのが、フリックの『質的研究入門』だったんですね。いざ自分が論文を書くうえで、切迫した問題として「方法を明確にしないとならない」ということで、方法論の重要性に目覚めたわけです
そして日本における方法論教材の必要性からあの本を訳すことになりました。

日本の文化人類学のなかでは「フィールドワーク」という言葉が自明のことと

して使われていますが、それはこういうやり方なんだと示す必要がある。それは説明責任なんだと思うのです。自分たちの研究がどういうプロセスで生み出されたかを説明できなければ学問としての存在意義を疑われるとまで私は思います。しかし日本の人類学はその努力が足りないのではないかと感じます。そのとき「研究を型にはめてしまうのはよくない」という批判がよく持ち出されるのですが、必要なのは「型にはめないで、研究を進めるための方法論」であり、それを説明することのはずです。アメリカに目を転じると、メソドロジー（方法論。何らかの作業（たとえば研究）を行う際の基本姿勢と個別の諸方法とのセットのこと。これに対しセオリー（理論）とは、具体的事象を説明するための概念システム）の教科書がたくさんでている、まずそれが翻訳されていないこともありますし。それを埋める努力を今しなければならないという気持ちがありました。

そのなかで、波平さんが論文指導で培かった方法論を『質的研究　STEP BY STEP』という本のなかで言語化していく作業をやっておられる。では波平さんご自身はどのような方法をとってこられたのか。それをお聞きしたいと思いました。波平さんは、特に応用的な医療人類学という分野で、日本のアクチュアルな問題に関して発言しながら、なおかつ人類学者としても成果を収めてこられたということもあるので、なおさら、ではどういう立ち位置で、どういうやり方をとってこられたのかを知りたいと思ったのです。

波平　学生を指導しているとよく見かけることなんですが、比喩的に言えばたいへん立派な、フルセットの包丁がそろっているような道具立ての台所でインスタントラーメンをつくっているということがあります。でもそう言っても、ぴんとこないんですよね。それを分からせるということができなかった……。

道具をそろえることには確かにたいへんな努力をするんですね。しかし自分が到達するレベルや明らかにしようとする内容は貧弱です。つまり志が低いと言ってもいいでしょう。おいしいものを食べたことがないから、自分がつくろうとする料理を「おいしくしろ」と言われてもイメージが湧いてこない。

小田　……ということは、おいしいものを食べる段階も必要ですね？

波平　あ、そうなんです。そうそう（笑）。

小田　これが本物というものに接していないと分からないですよね。つくれない。舌を養うというのは、「養うべき」という「べき論」ではないですね。本当においしかったらとにかく「おいしい！」のですから、あとは、自分からおいしいものを求めて探しにゆくのではないか。

波平さんは「エスノグラフィーの読み方というものがあるんだ」と以前、話しておられましたね。何がいいものかを鑑定・識別できる目を持たないと、自分でもいいものはつくれない。

徒弟制度というものは、親方や先輩がつくる本物とその制作のプロセスをよく見て、「眼を養う」という過程があるわけですね。まずいのは、それ抜きに、方法ばかりに目がいってしまうことです。

対象との向き合い方

小田　自分ができているかはともかく、いい研究というのは、対象についての本質が言い当てられている、読んで「よくわかった」という「眼」を与えてくれる研究なんだと思います。

日本文化を「ケガレ」という観点から見れば新しい光の下に見えてくる、臓器移植という問題も、「遺体観」という観点から見ることでときほぐせる、それこそ、研究の果実なのでしょう。

方法論の説明は重要な反面、途中の「方法」だけを抜き出してしまうと、結果のよしあしを見極める力がないがしろになって、道具立てに気をとられてしまうということも付け加えておきたいです。

それは……「対象との向き合い方」というのか……。イサム・ノグチ（日本人の父と米国人の母との間に生まれた世界的な彫刻家。特に石を素材として用いた）という彫刻家が「自然石と向き合っていると、石が話しをはじめるのですよ。その声が聞こえたら、ちょっとだけ手助けしてあげるんです」（磯崎新、（田中一光構成）『素顔のイサム・ノグチ』四国新聞社、二〇〇二年）と語っています。この姿勢と共通するものがあるのでしょうか。

後でくわしく伺いたいと思っている波平さんが「ケガレ論」の着想を得たときのことですが、『定本　柳田國男集』を読んでいて「〈ケガレ〉というテーマが聞こえてきた」とお話しになっていました。対象の方から語りかけてくるところまで、データと向き合えるかどうか、ということなんですよね。「柳田全集からテーマが聞こえてくる」、とおっしゃるのを聞くと、〈対象との向き合い方〉〈現実との関わり方〉に何か鍵がありそうです。

それは波平さんの現実との関わり方であり、なおかつ波平さん独自の方法論とも言えるものだと思うんですね。そういう対象との向き合い方もあるのかと気づかされます。

つまり、特殊な経験に方法論が現れるとも言えるでしょう。

ご自身の具体的な人生の経験のなかからでも、方法論を語るうえでコアになるエピソードはありますか。

波平　そうですね。私の子ども時代の経験になりますが……昭和二〇年代中頃は、まだ子ども向きの本が少なく、一方で私の読書欲は旺盛でしたから、仕方なく、限られた本を暗記できるほどくりかえし読んでいました。

その内に、とてもおもしろいことに気づいたのです。それは、しばらく時間をおいて同じ本を読むと、以前気づかなかったことに気づいたり、以前と違う意味に登場人物の言葉が読み取れたりするようになりました。それからは、同じ本で、どのくらいまで違う読み替えができるのか発見するのに夢中になったんです。そうしたなかで、ロマン・ロランの『ジャン・クリストフ』の一部が五年生の教科書に載っているのに出会い、中学一年生から全巻を読みはじめました。思春期初期から最初の子どもが生まれた二五歳まで、気に入りの個所だけの拾い読みも入れると、延べ何百回になるでしょうか。

文化人類学のエスノグラフィーや教科書も若い頃は同じような読み方をしていました。忙しくなってからは付箋を付け、それにメモを書き、本の表紙裏に、読む度に、日付を入れ、五回、六回と読むこともありました。データを何度も読むのも、今になると、たぶん、子どもの時に知った「意味の多重性」や「文脈」の発見のおもしろさによるのだと思い当ります。

データとしての先行研究

「先行研究」もデータである

小田　研究の初期に先行研究をレビューする段階があります。このとき学生から文献をどんな基準でどれほどまで調べればいいのかが分からないという声がよく聞かれます。

医療系の分野では「最新の」研究を押さえなければという意識が強いでしょう。波平さんが文献を調べるのは、やはり新しい研究動向を押さえるためなのでしょうか。

波平　その分野の研究の歴史的な流れを学びながら、かつ自分が分析するためのデータとして取っているわけです。人の研究をほんのわずかでも超えようとすれば、先行研究をデータとして見るのが一番よい方法です。

小田　データとして見る――それは、一般的にいう「先行研究のレビュー」とはやや違うのではないかと思うんですが。

波平　違うでしょうね。看護の学生がなぜ先行研究を調べるかというと、自分がある程度問題を設定して、それに似たような研究を探し出して、それにそっくりな研究をしようとするわけなんです。だから最新のものでないといけないと考えるわけです。

　したがって、先行研究をデータとしてとらえられないんですね。先行研究のなかに、研究テーマもあれば、方法論もあれば、結論もある、と考えてしまう。はっきりいってなぞっているわけなんですよね。新しいものを生み出す、というものではない。先行研究もデータであると考えて読み込んでいくべきでしょう。

文化人類学におけるデータの持つ意味

データをアレンジする意味

波平　第Ⅱ部の「質的研究とアブダクション」（第六章）でも議論することですが、人類学のデータというのは、データを集めさえしたら、何かそこから出てくるものがあるような、そんなデータではないのではないか。データの集積から、ひとつの傾向なり関係あるいは構造が見えてくるんだけど、それでは構造が見えてきたら、そのデータは構造のための下積みの捨て石だったかというと、そうではなくて、構造が見えてきた途端に、そのデータはまた輝きはじめるような、そんなデータであると考えています。

また、一〇のデータがあって、そこからひとつの構造が見えてくる。だけれども、この構造を分かりやすく説明するためには、この一〇のデータのなかのどれかを使って説明することになりますが、それではどのデータ（多くはエピソード）を使うかという点において工夫がいるだろうと思うんです。それが冒頭の序で述べた『西日本新聞』連載の「暮らしの中の文化人類学」執筆の際に考えついたことなんです。

小田　ということは、連載以前に社会人類学（主にイギリスで用いられている学問分野の名称。民族学、文化人類学とほぼ重なりあうが、社会人類学という場合は、ラドクリフ＝ブラウンの構造機能主義を背景とした社会構造の共時的研究の流れが強調される）的な調査をしておられた頃とも、データの扱い方が変わっていった。

波平　変わりました。

小田　この新聞連載が契機になっていますか。

波平　契機になっていますね、どんどん投書がきたり電話がかかってくると、それが間接的に私に伝わったときに、どのデータを使いどのような表現を使って書けばどういう反応が生じるかということを学ばせてもらったんですね。最も重要なのは、書き手の意図や伝えようとした意味内容が誤解されないためにはどうすればよいかということでした。批判的な投書に回答するときにも、書き手の側の考慮が足りないと、読者は納得しませんから。

小田　波平さんは一九八〇年代に『暮らしの中の文化人類学』で一般向けに書くという課題に取り組まれました。そこには、生活者にいかに響かせるかという、新しい書き方の可能性があると思うんです。

読者（オーディエンス）を研究者とそれ以外の人々に分けて本を書くという考え方と、それに基づく専門書と一般向け啓蒙書の区別は、もしかしたら古いのかもしれませんね。現代では文化人類学や質的研究に携わる研究者の立ち位置が問われているのだと考えた方がよいのではないでしょうか。つまり、研究というものが専門家だけの世界で閉じていって、生きている人々の現場・生活に対する関連性が失われていっている。そうした状況への反省から、質的研究、ナラティブ、エスノグラフィーなどへの関心が高まっている。それが現状だと思います。この流れのなかで、対象読者を一般人／専門家と分けるということ自体が実は古い枠組みなのです。

新聞連載時の波平さんの試みのなかで、「データをアレンジした」という点が非常に興味深いです。字数の限られた新聞連載という文脈もあったのでしょうし、またプライバシーの保護という理由もあったでしょう。しかしそれだけでなくデータをアレンジするということには積極的な可能性もあるのではないかと思うのです。

民俗学者の折口信夫（柳田國男の影響から民俗学に踏み入り、古代日本を志向する独自の学風を打ち立てた）が『死者の書』（折口信夫による小説。別の小説『身毒丸』の「附言」で「伝説の研究の表現形式として、小説の形を使うて見たのです」と述べているように、折口は研究の表現方法の一つとして小説を位置づけていた）という小説を書いています。折口は自分の民俗学研究の成果を小説という形で表すんだと述べています。まさにアレンジですね。

波平　『死者の書』はまさにそうですね。私は「アレンジする」といったときに、元のデータを恣意的に改ざんしたとは考えていません。したがって、自分のなかに全然後ろめたさとか、そういうものがないんですよ。その後ろめたさのなさというものがどこからきているかというと、ひとつはやはり個人のプライバシーを守るためだということと、いまひとつは、アレンジしても構造や関係性は変わらないはずだという確信を持つまで、生のままのデータの検討を徹底的にします。さらにいうと、文化人類学が開拓してきた理論や方法に従っているかの検討をします。

小田　そこは非常に興味深いところで、人類学者一般、あるいは波平さんがフィールドで事例をどう理解しているのか、現場の事例を理解するということはどういうことなのかということに関わってくると思いますね。それはアレンジしても変わらない何かを理解されているということですね。

波平　理解している、あるいは「正当に」分析していると確信しています。そのためには、フィールドを複数持っていて、常にデータの詳細な比較を行うことや、他の文化人類学者が書いた良質のモノグラフやエスノグラフィーを読んでおく必要があると考えます。

ただし、いつでも「データを改ざんした」という批判にさらされる危険はあるのですが。

エピソードを厳選して用いる

波平　私の書いている論文は、抽象化されたものと具体的なものを常に往復しているんですね。その常に往復しているところが、ある人類学の人々から見ると、波平の書いているものはたんなる〝エピソードの寄せ集め〟だと見えるようです。「人類学的ではない」という評価をしている人たちもいるんですね。理論のように見えて実はエピソードだ、というわけです。

でも私のなかでは、非常にきれいに整理されていて、ひとつのエピソードからひとつの構造（「仮説」とか「推論」と言ってもよいのですが）が出てくるはずはなくて、たくさんあるデータのなかから構造を見つけ出す。さらにその構造を説明するために、たくさんあるエピソードのなかから最も適切と思われるものを選んでそれをはめている、という私の論述の手法でもあるわけですね。

さらに、自分のなかでは確信を持って得た「推論」ですが、それに説得力を持たせるエピソードを探すことは度々行いました。最も長い時間をつかって探し出したのは、八丈島での事例です。明治初期ないしは幕末まででしたが、初潮の祝いを盛大に行うこと、それは共同体に公表されること、未婚の若い男性がその祝いに関わることの三つの条件をそなえた素晴らしいエピソードでしたが、それを探し出すためだけに三百時間位を費やしました。

なぜそうまでしたのか。私は生殖に関わる女性の不浄性（ケガレ）は、男性の「働き」と女性の「働き」（生殖を含む）とを共同体存続のための重大事であると明示するとともに、峻別するための指標だと考えました。生と死とを峻別する死の不浄性と同じように。

小田　たいへんおもしろいです。女性の「不浄性」と共同性の構造をつなげて捉えたわけですね。

波平　ニューギニア高地や北米西海岸のインディアンと同じように、日本でこれほど、生殖に関わる不浄性が見られる所では、必ず男女の分業が明確に制度化されていると考えたのです。幕末までの八丈島は、税として女性が織る黄八丈が納められ、女性の労働と男性の労働はその内容を峻別されていました。

つまり、私の論文で使われているエピソードは決して、たまたまあったからとか、思いつきで恣意的に取り上げてはいないのです。

それを示すために、これだけのデータをもっています。これだけのデータ分析の結果、こういう構造あるいは関係性を見つけ出しています。それを説明するために、このエピソードを使っています、と本当は一つひとつ書くのがいいんでしょうけれど、時間的にも紙数的にも無理です。また、誰もそんなものは読まないと思うのです。でも実は、レヴィ＝ストロース（フランスの文化人類学者。フランス構造主義人類学の創立者。一九四九年発表の親族の構造分析から神話の構造分析に至るまで数多くの著作によって、文化人類学だけでなく評論、文芸など広い領域に影響を与えた）は、そういうことを大変丁寧に神話の構造分析等でやっているわけです。あの記述の厚みというのは、それに手を抜かなかったということなんですよね。彼の仕事が人に理解されるようになってもやり続けたというのが、愚直といえば愚直ですし、それこそがレヴィ＝ストロースだと私は思うのですが。

データの「声」を聞く

わからなくなったとき、どうしたか

小田　波平さんはいわばオーソドックスな村落調査から病とか医療の分野へと研究を展開されます。その転機のようなものがあったのですか？

波平　それは、一九七〇年にテキサス大学の大学院に博士学位論文の提出資格を得るために、論文審査委員たちに研究計画を承認してもらう必要性があったことです。

アメリカの日本に関する文化人類学研究というのがエンブリーの第二次大戦以前に行われた熊本県球磨郡須恵村（現在あさぎり町須恵地区）の村落研究を発端

として、ルース・ベネディクト（マーガレット・ミードと共に、一九四〇年代に最も活躍し影響力を持った女性の文化人類学者。「文化の型」という考え方を示し、『菊と刀』は日本を対象とした成果である）の『菊と刀』（アメリカ政府による対戦国である日本研究の資料に基づいて行った日本人の行動や心情のあり方を「恥の文化」として分析、一九四六年に刊行され、直後から日本の研究者の間に多くの議論を巻き起こした）という文化論があったにしても、それまでの主流は、やはり社会研究なんですね。それは戦後統治をどうするかということと深く関わっていたし、私のスーパーバイザーもミシガン大学の日本研究センターから派遣されて、戦後一九五〇年当時の岡山で調査をした人です。

博士論文をどういうテーマで書くかという、とにかく自分がこれから取りかかろうとしている研究の独自性をアピールしないと審査員の四人から合格のサインをもらえないんです。どうしてもそれまで主流となっている研究とは異なる新しい研究でないと、だめなんですね。日本の村落研究のデータはすでにたくさん持っているけれども、それで博士論文を書いても博士論文提出資格を得るためのアプリケーションは通らないという状況でした。

一九六四年から従事し、一九六八年前半まで行った調査の手持ちのデータはある。合同調査のデータの使用については吉田先生たちが了承してくれれば使うこともできるし、壱岐や四国で単独で調査を行ったデータもある。さらに別のフィールドを自分が新たに開拓して調査をすればそれも使える。だけれども農村社会構造の研究をテーマとしたのでは、博士論文提出資格は得られない。

そこで考えたのが、まったく新しい研究テーマで書こうということでした。でも、その頃象徴人類学〔言語表現を超えてあるいは言語表現では不可能な人間の感情や思考の表現法としての象徴を儀礼を中心に研究する文化人類学。一九七〇年代に入り急速に発展した〕は、非常にパターン化された分析になるように見えて、あまりおもしろいとは思わなかったんですよ。

小田　その頃は、いわゆるイギリス系のヴィクター・ターナー〔イギリスの社会人類学者で、アフリカ・ンデンブ社会の儀礼やキリスト教の巡礼などの事象を、リミナリティ、コムニタスといった概念を用いて分析した〕とかメアリー・ダグラス〔イギリスの社会人類学者。主著『汚穢と禁忌』（筑摩書房）で、「穢れ（pollution）」の現象を当該社会の分類体系との関係で説明した〕とかの象徴人類学ですよね。留学先の大学でも読まれていたのですか？

波平　あまり読まれていませんでした。しかし、なぜか私はダグラスもターナーも、最初に読んでおもしろいと思わなかったんですよ。たぶん、充分に理解できていなかったのでしょう。それがおもしろくなるのは、不思議なんですけど柳田國男の著作をまとめて読んでからなんです。

　テキサス大学には当時イースト・アジアン・ライブラリというのがありました。そこには、網羅的な本のコレクションはなく、日本の本や中国に関する本もあるんですが脈絡なく集めているように私には見えました。網羅的に読める本といったら『定本　柳田國男集』しかなかったんです。それで全部読んだんです。

小田　たまたま『柳田國男集』があったのですね。

波平　宗教民俗学の大先学でいらっしゃる桜井徳太郎先生が「僕だって読んでないのに、君は読んだか」っておっしゃるから、「いや、字面だけを見たんです」とお答えしました。そして何がおもしろいか、おもしろいものがあるかもしれないし、ないかもしれないけど、とにかく、夫が三年契約の研究員としての米国滞在ヴィザを得ていて、私はその妻としてのヴィザでしたから、はじめから帰国する時期が決まっているんです。それまでにとにかく博士論文提出のアプリケーションの承認を得ないといけない――と考えました。
　どうしていいか分からないときは、とにかく読む。そこで、一巻から順に『定本　柳田國男集』を読みはじめたんです。

テーマはいつも「聞こえて」くる

波平　ところが、「ケガレ」のテーマで書くということを決めたのはいいんだけど、自分の調査によるデータ以外にデータがないんですね。そこで『民間伝承』『旅と伝説』『日本民俗学』『民族学研究』なども一巻目から、読みはじめました。とにかくその時点で集め得た資料すべてをそろえて最初のページから読むというのは今もあまり変わらない方法です。そうするなかで、ちょうどシンフォニーを聞いているとテーマが聞こえてくるような気がします。いつでもそうです。聞こえてくるように自分で思うんです。『定本　柳田國男集』を読んで、私に聞こえてきたのは「ケガレ」だったんです。

だから、どうしてそれが「聞こえてきたか」と言われたら、そこがよく分からないんですけど、ひとつははっきりしていることがあります。壱岐の勝本浦の一九六四年の調査のなかで、私が聞き取りをしていて、とてもおもしろいと思ったデータというのが、「船に女を乗せない。乗せたら不浄を洗い流す」とか（実際私と私の研究室の先輩で後にアフリカ研究の専門家になった上田冨士子さんが漁の参与観察のために乗り組んだ船は、その日のうちに酒でお清めをしています）、それから、「出漁前には死に関わることはすべて遠ざける」という、もうこれは一〇〇パーセント貫徹した勝本浦の人々の態度だったんですね。それには大変関心があって、一体、どういうふうにこのデータを、共通する研究テーマである「村落構造とその変容」に使えるだろうというのは、その後も心に掛かっていました。ただし、調査中に毎晩行われていたブリーフィングのときに私が行った報告ではそれほど他の人の関心を引きませんでした。

研究課題は大まかに決める

小田　関心を持たれなかったのは、そのときの研究枠組みである社会人類学的な問題関心からズレるということだったのでしょうか。

波平　多分そうだったのでしょう。その結果、私はその後の自分の調査のときに大まかな研究課題は立てますけど、あまりきっちりと細かな所までは課題を固定しない方がよいというのをその時点で学んだんです。

細かな所まで研究課題、あるいはリサーチ・クエスチョンを詰めてしまうと、調査地で見聞きするデータを無意識により分けてしまうか、本当に大事なものであるにもかかわらず、データとしての重要性に気づかないまま捨ててしまうということが心配になってきたのです。

データの「声」を聞く

データは、くりかえしくりかえし見る。

←

新たな意味や関係性を発見する。

▼1

データは時（間）・場所を変えてくりかえし見る。

それぞれのデータが持つ意味は、研究者が置かれる、（研究者を取り巻く）環境が変わると、変わって見えること、別の意味が見出されるようになること、最初に見たときに気づかなかったことに新たに気づくことは頻繁に起こる。また、新たなデータが加わると、そうしたことは当然生じる。こうしたことこそが、質的研究の特徴である。

▼2

データを愛しなさい／徹底してデータと付き合う。（常にデータを持ち歩く）

紙にプリントアウトした形であれ、パソコンのなかのデータであれ、データを常に持ち歩き、暇があれば見ておくことまでできれば理想的である。

▼3 データが語りはじめるまでデータを読む。

くりかえしデータを見ていると、やがて、データ自身が「語りはじめる」ように思われてくる。データが持つそれぞれの意味が重なり合い、また、個々のデータの間の関係性が見えてくる。やがて、まとまってより大きく、複雑な意味へと発達してくる。

▼4 データ間の文脈が少しずつ見えてくる。

紙データのリーフあるいはカード一枚に収められたデータ項目、コンピュータソフトを用いる場合は、エクセルなどの表計算ソフトならセルひとつに、ないしはカード型のソフトなら一枚に収められた、タイトルを付せられた項目ごとの内容をくりかえし見るうちに、次第にデータ項目がいくつかのグループに分類される。さらには、項目と項目の関係性が見えてくる。それらグループ分けされたものは、大きなグループもあれば項目が一つか二つのグループもある。関係性は、あいまいなものもあ

データ項目の分類と関係性を発見する。

論文を書き終わったら、
また、新たな理論を身につけたら
分類と関係性を再びバラバラにする。

身体感覚になるまで
「文脈」感覚を身につける。

れば、明確なものもある。分類や関係性は早々と固定せず、できるだけ、ゆるやかな結びつきにしておく。それは、ひとつの項目は、複数の「意味」を持っていることが多く、別の関係性や文脈を作り出すことが多いからである。

第4章

フィールドワークは予定どおりには進まない。だからこそ、フィールドで見聞きすることは正確に記録する。

フィールドワークとは

フィールドワークは、どのように周到に考えて研究計画を立てたとしても、対象となる社会集団や地域あるいは研究協力者であるインフォーマントの状況によって、予定予測したとおりの結果になるとはかぎらない。ときには、研究課題そのものを変更せざるを得なくなることさえある。そうであるからこそ、インフォーマントの語る言葉はできるだけ正確に記録し詳細な観察記録を残しておかなければならない。

原点となったフィールドワーク

小田　波平さんの最初のフィールドワークは九州で一カ月間行ったとのことですが、それは具体的にどこだったのでしょうか？

波平　長崎県の壱岐島（現在壱岐市）北部にある勝本浦という漁村です。

調査地と調査を行う者との出会いには運命的なものを感じることがあります。勝本浦全体の状況は、ちょうど変わり目にありました。

ですから、今現在一カ月間勝本浦に同じ条件で同じ人たちが調査チームにいて調査を行ったとしても、あれほどまでに豊富で膨大なデータは集まらなかったと思うんです。ところが壱岐の勝本浦はパイロット・サーヴェイ（予備的調査）でこうだろうと予測していたよりもはるかに激動の真っただ中にありました。大きな変化が生じたことによって、人々は自分たちの社会のありようを相対化する視点を獲得していたのでしょう。おもしろいように、その変化について人々が語ってくれました。集まったどのデータも大変おもしろいんですよね。

小田　どういう激動の時だったのですか？

波平　話が長くなりますが、ひとつは、戦前から問屋制があって、問屋、船の持ち主（「船頭」）、乗組員（「ワッカシ」）の上下三層構造になっていました。ですが、調査時は、宮本常一さん〔柳田國男やその弟子たちが発展させた民俗学とは異なるテーマや分析によって独自の民俗学を拓いた。全国の離島や辺地をくまなく歩き、生活者の視点から民俗を取り上げ論じた〕が尽力して成立した「離島振興法」〔一九五三年、日本社会が全体として高度成長経済期に入ったあとも、離島であるが故に開発発展に遅れる状況を改善するために制定された法律〕が実際に動きはじめたところだったんです。

それで金を借りたり貸したりの関係、そして支配・被支配の、問屋と船頭、船頭とワッカシという関係が切れて、誰もが船を持てるようになりました。けれども、そんなに大きな船は持てないんですね。九トンの船が最大で、多くは三トンか四トンの小型の船で近海で魚を捕るという状況になっていました。昭和二四（一九四九）年に漁協が発足しました。満州で抑留されている間にマルクス主義の思想に触れた人たちが「平等でなければ」って言ってたことが具体的にはみんなよく分からなかった――それが実現できるようになったのが、昭和三五（一九六〇）年頃から船を自分で持って、水揚げが全部自分のものになるということを経験し始めて、三、四年たったところに私どもが調査に入ったんです。

いまひとつの大きな変化は、それまでは女性は一切生業に関わらなかったのに、それが変わっていました。水イカが大量に穫れはじめていました。鮮度が落ちると値が下がるので、女性たちがスルメに加工しはじめたんです。そうすると女の働きというのが家計を潤すようになって、家庭のなかでも地域社会のなかでもジェンダー関係が変わってきた時期だったんです。また、好景気になりまして、祭りを以前最も盛んだった頃のような内容に復興しようとしたときだったんですね。

その一方で、たいへんな嫁不足が始まっていました。私はそのあと一九八四年にそれまでの論文をまとめて『ケガレの構造』（青土社、一九八四年）として刊行したのですが、この本で展開している議論に結びついていく、女性の生殖力を不浄と見なし、生殖期にある女性を祭りの場から完全に排除するということが、以前になく強く前面に押し出されていました。

つまり「伝統的な考え方」というのは、ずーっと以前が盛んで、だんだんと低下して消えていくようなものでなく、伝統的な信仰・行動というのは、状況によって強まったり弱まったりと波があるんですね。女性のケガレについて調査を行った一九六四年当時と同じかそれ以上に、以前もそれほど強く認識していたかというと、そうでもないようなんですよ。

　ちょうど女性の生殖に関わる現象をケガレとする認識が強くなりつつあった時期（そのあとすぐ弱くなっていくんですけど）、そういう時期でした。だから昭和三九（一九六四）年という調査期は、社会関係においても、経済状況においても、家族・地域社会・ジェンダー、そして信仰いずれにおいても、変化の潮目が四項目も五項目もそろったところでした。しかも、指導教員である吉田禎吾先生（戦後の早い時期にアメリカ留学中に文化人類学を学んだ。いくつもの大学で教鞭をとり数多くの研究者を育て、一方で翻訳や論文を通して、最新の文化人類学の理論や潮流を日本に紹介してきた）はじめ調査経験も文化人類学の研究者としての経歴も異なる人々が同時に調査をおこなったという、大変よいタイミングで私は最初の調査経験をしたんです。

パイロット・サーヴェイの重要性

小田　タイミングが重要だったのですね。最初の調査では吉田先生がフィールドを選定されたんでしょうけれども、波平さんがご自分でフィールドを選ばれるときには、どういうふうに選ばれますか。

波平　吉田先生のなさり方からかなり学びました。まず、大きな研究テーマ、たとえば「西南日本における社会構造の変貌」というような大まかなテーマを決めます。研究課題はその後で決めます。一九六四年から一九六八年まで参加した研究室の合同調査では次のような状況と経緯で選定していました。

この時期というのは特に岡正雄先生（柳田國男のもとで雑誌『民族』を編集。やがてウィーン大学に留学しウィーン学派の民族学を学ぶ。一九五〇年代六〇年代を通して、民俗学と民族学のかけ橋の役割を果たした）を中心とする東京都立大（現在の首都大学東京）の社会人類学の人たちが、「西南日本型の村落社会」と「東北日本型の村落社会」という村落構造のタイポロジーを一九五〇年代から主張しはじめたのを、学会全体が受け入れた時期だったんですね。それがもうすっかり浸透していましたが、その割には西南日本の村落調査の優れた報告は少なかったんです。

吉田先生は一九六三年に何度目かのアメリカ滞在から帰って来られて、こうした研究について「タイポロジーだけが強調されている」「具体的なデータがない」と批判的でした。「西南日本村落社会における伝統と変容」という大きなテーマを立てて、四国と九州の数カ所を調査するという方針を決められたのです。ただし、それ以前から九州の何カ所かで、研究室では村落調査を行っていました。

私が参加させてもらった勝本浦の調査は、吉田先生に与えられたアメリカのウエナ・グレン財団からの研究費に基づいたものでしたので、かなり集中的に行うことができたのです。そして、念入りなパイロット・サーヴェイもされました。壱岐島全体を対象としたパイロット・サーヴェイには私も参加させてもらいました。研究テーマを決めるうえで、また、その研究テーマに沿ったデータが得られるかどうかを検討するうえで、パイロット・サーヴェイは重要だと考えます。

私も単独で調査をするようになると同じ手順をとりました。一九七六年に就職して、最初に長期にわたって自分が単独で行う調査を決めたのが福島県会津地方の村落なんです。このときには、大まかなテーマだけ決めたうえで、丸一年かけて福島県内一六カ所を回りました。

同族団および親族についての「有賀・喜多野論争」〔一九四〇年代から五〇年代にかけて行われた共に社会学者の有賀喜左衛門と喜多野清一との間の同族団形成・成立における社会的要因に関する論争〕のときに、系譜が優先するのか社会・経済的関係が優先するのか、つまり経済的な地主小作関係があって同族団が形成されているのか、それとも系譜が主な形成要因なのかということが議論の対象になっていました。その頃私がおもしろくて読んでたのが、すでに古典になってしまっていた『アフリカにおける親族と結婚の制度』（*African Systems of Kinship and Marriage*）という社会構造機能論の中心的役割を果たしたラドクリフ＝ブラウン〔イギリス出身の社会人類学者であり、イギリス、オーストラリア、南アフリカ、アメリカで教鞭を取り、社会構造機能論を広めた〕とフォードの共編の論文集でした。

キンシップ・システム〔親族組織。家族、親族結婚や養子縁組によって形成される関係や集団についての形成のルールや権利、義務、規範など〕というのは、非常におもしろいんですね。今でもそう思います。しかし、すでに当時はもう東大の農村社会学者の福武直先生の研究室も、九大の喜多野先生のあとの同じく農村社会学者内藤完爾先生の研究室も、農村研究をほとんどやめてしまってたんです。農村調査をほとんど誰もやらない今こそ、系譜というものがどんなふうに、つまり、個人を分類し、人を集団としたり、カテゴリーによって組織したり、集団内の個人の位置づけを決定したりするうえで、働くか、というのを見たいと思いました。それで同族団の発達しているといわれていた地域についての社会人類学、社会学、民俗学の文献を網羅的に見ました。一番いいのは有賀が調査したところの継続調査だったんですけど、当時交通が不便でした。

下の子が生まれたばっかりだったので、緊急のときにはすぐに帰宅しなければならず、一日で行き来できるところでないと困ると思ったのですが、それでも当時福岡から会津の調査地までは一日半かかりました。

調査地へ出かける前には文献調査、行政や農協などの公的資料、教育委員会や地方史の研究者、民俗学の研究者の集めた資料をできるだけ見ておくことは、絶対に欠かせません。いわゆる学術論文で調べて、その次が民俗学の小さな細切れデータを見て、そして次は教育委員会に問い合わせて、実際に行ってみて村落を回る。一年間かけて福島県内一六カ所を見て回ったんですね。教育委員会の人に現地のムラまで案内してもらって、最終的に決めました。

小田　それはお一人で。

波平　個人調査です。それ以降、私は全部個人で調査してきました。例外は日本学術振興会から交付される科学研究費の助成を受けて、吉田先生と吉田先生の東大における学生だった人で当時東京医科歯科大の助教授だった板橋作美さんとご一緒に奄美諸島で行ったもの、又、民俗学者の谷川健一、荒木博之（研究代表者・故人）、山下欣一、二宮哲夫諸先生、また、社会学者の谷富夫氏と同じく科研で奄美および天草の合同調査をしました。なお、山口県の調査は、山口県県史の民俗部会としての調査です。

「よそ者」が「娘分」になるまで

小田　会津の調査のときには、一回の滞在にはどれくらいの期間をかけたのでしょうか。

波平　一番長いときで一六日です。大体十日前後です。それは受け入れ先の都合なんです。それ以上続けて長く滞在できないのは農繁期のこともあれば、盆や正月、冠婚葬祭のため親類が来るとか。三食付きですから相手側の御都合が優先します。「今回はいつまで置かせてもらえますか」で滞在期間を決めるので、一番長く居て一六日だったですね。

なお、この調査地の場合、宿泊先は区長をはじめ七人のムラの役員が相談して決めてくれました。そのうえで「以降この家に泊まってください」と言い渡され、一九七六年以来現在までその家に、世帯主が代ってのちも泊めていただいています。

小田　実際的な質問を二つさせてください。ある程度の期間宿泊させてもらい、食事の提供も受けるとなると、相手側に負担が生じると思うのですが、謝礼についてはどうなさいましたか。それから調査結果の還元はいかがされたでしょうか。たとえば、論文を送ったりされたのでしょうか。

波平　謝礼の金額は調査地によってさまざまです。

会津の調査地は、最初の二、三年間は一泊につきいくらと相手と相談して金額を決めて払いました。しかし、そのうちどうしても受け取ってくれなくなりましたので、それからは、盆、正月のお中元やお歳暮の品を贈ります。その他、子どもさんの結婚、孫さんの誕生、初節供、入学式その他にお祝金を送ります。

研究成果の還元は、書いたものを、教育委員会、漁協、区長その他お世話になった方々に送ります。

小田　人類学者はフィールドで、「インフォーマント」と呼ばれたりする人たちの間に入っていきます。そのときに「ラポール」（調査者と被調査者との間の信頼に基づく協力関係）なんていう言葉も使われるわけですけれども、その受け入れる側からすると、人類学者が入って来るということは、「よそ者」が入ってくるということなんですね。「人類学」なんて自分たちにとって訳のわからないことをやっているよそ者が。

波平　受け入れ側にとって調査者は、ストレスをもたらす存在ですね。泊めてやり、食事や風呂を提供してくれる家の方々はもちろん、村落内の他の家族にとっても、家の中へ入れてやり話し相手をしてやりますから。しかも根掘り葉掘り聞きますからね。「隣の人は（あるいは関係のよくないあの家の人は）自分の家のことをどう話すだろうか」と、誰しも気になります。たいへん迷惑な侵入者です。

小田　それでもなお調査者を受け入れるというのは、恐らく、「異人歓待」（英語ではホスピタリティ。多様な社会において、外部からやってきた他者（よそ者）を迎え入れる、歓待の習俗がみられる。異人歓待は、社会が閉じたものではなく、外に向かって開かれたものであることを示す、理論的にも重要な現象といえる）の意味があるのではないでしょうか。異人歓待の場面に、実はその社会の非常に重要なところが出てくるのではないかという気がするんですね。

波平　まさにそうですね。それに加えて、よそ者の存在はその地域の人々にとって迷惑をかけたり混乱をもたらしたりしない限りアミューズメントの素にもなるようです。また自分たちの生活を見直したり関係を見直したり新しい意味づけを見つけるきっかけにもなるようです。私も結構からかいや噂の種になっていました。会津の場合は、はじめ一年間だけ波平はやって来ると思っていたんですね。ところが、波平という人間は毎年来るので、ムラの人々は徐々に対応を変えていったようです。それで最終的には私を毎回泊めてくださっている家の娘分〔親分・子分の一種。擬制的な親子関係であり、特定の状況における保護者・被保護者関係のなかで被保護者のこと〕になってます。ですから、その家でご主人夫婦が亡くなったときの葬式には必ず葬儀委員の方からお知らせの電話がかかってきます。電話がかかってくるから、必ず行かなければならない。

小田　娘分になるためになんらかの儀礼的なことがあるんですか。

波平　儀礼は何もないですけど、葬式のときに来てくれという電話がかかって、そのときに、私はよそ者で親族でもないにもかかわらず、親族の女だけが長いさらしの布を頭からかぶって、後生の綱〔棺や棺を乗せた車に白い布を結びつけ、親族の人々がそれを握って墓地や火葬場まで従う。死者の後を継ぐ者が握るので後生の綱という〕というのを引くんですが、その家に着くと、すぐに周囲の人が私に頭に被る白い布を渡してくれました。そのときも、次に、その御家族のなかで別の方が亡くなったときにも、後生の綱を私が引くということを誰も疑わなかったですから、私はもうだいぶ前からその家の娘分になっていると村の人は思ってたんだなとそのとき気づきました。

小田　それはいつの間にか、徐々に。

波平　徐々にですね。

小田　娘分として受け入れられていったということですか。

波平　そうですね、娘分として。

小田　他人を受け入れるということを、たとえばドイツだと二人称の呼び名を変えることで示します。

ドイツ語の二人称単数にはSieとDuの区別があります。Sieは相手と距離をおいた丁寧な呼び方。Duは相手が自分の交友の内側に入ったことを示す親しい呼び方と言えるでしょう。前者は日本語の敬語、後者は「タメ口」に相当すると言えないこともありませんが、重要な違いもあります。日本語の場合、年齢や学年の上下で、目上の者は目下の者に「タメ口」を使い、逆に目下の者は敬語を使うという、非対称的な関係となります。しかしドイツ語の場合には、年齢の上下や先輩後輩の区別関係なく、互いに同じ言い方をします。つまり対称的なのです。私がドイツ留学中のある日、二〇歳以上年が離れた指導教授が「今日からDuで呼び合おう」と言ってきました。そして握手しました。するとそのときから私と教授は互いにDuを使うだけでなく、ファーストネームで呼び合うことになりました。日本語風に考えると指導教授とタメ口で話すのですから、最初はまことに奇妙な感じがしました。SieからDuに移行するときに、握手とか食事中なら乾杯するなどのちょっとした儀礼があることも興味深かったです。それによって相手を自分の親しい交友関係の輪に受け入れたということを示すのです。

しかし波平さんが会津で「娘分」として受け入れられても、そういう明確な儀礼はなかったのですね。

波平　そうではなかったですね。ただここの村は、豊かな大きな村なので、江戸時代からよそから流れ者がやってきて、納屋かなんかで寝泊りしながら働かせてもらい、その様子を見て、特別な病気もないし、陰日なたなくよく働くというと、名子（なご）にしてたんですね。戦前に名子になった人がその後独立して村落内に世帯を持つ人もいました。そういうよそ者を名子にしてやった家、つまり親方なんですが、その親分になる家を「はばきぬぎ」って言うんですね。旅行するときや、雪の中を歩くときに雪との摩擦を弱めるため、あるいは足を冷やさないようにワラで編んだ脚半をはくんですね。その「はばき」を脱がしてもらった家ということで「はばきぬぎ」と言うんです。だからその家は私にとっての「はばきぬぎ」だし、向こうからすると、はばきを脱がしてやった波平なんです。家に泊めてやるというのはそういうことで、それから徐々に擬制的親子関係のなかの娘分に格上げされているわけです。そうなると、米の収穫期になると毎年必ず米を送ってきてくれるようになります。

小田　たいへん興味深いお話です。そのときの調査課題はさっきおっしゃられたように同族集団とか社会構造を明らかにするものだったのですね。

波平　はい、それ以前からすでに象徴分析〔文化人類学における象徴分析では、儀礼を中心に人の行為、物、空間などがどのように象徴として機能し、社会の価値や世界観が伝達維持されるのかを研究する〕や構造分析〔人間の文化は豊かな多様性を持つ一方で普遍的な構造を持つという前提のもとに、親族などの社会制度、儀礼、神話などをとおして示される構造を明らかにする〕での論文を発表していたのですが、ホリスティックな研究をするうえで、社会構造の調査は必要不可欠だと考えていました。社会構造を明らかにするうえでは絶対必要な個々人の役割や位置づけ、それに伴う権利は、日々の行為のなかで示されます。日々の細かな言動のデータは、どのような方法論理論を展開するうえでも必要であり、後になって再びデータとして使うことが可能です。

つまり、方法論上の理由が大きいです。さらに、基礎データとして社会関係を調べておくと、生活のなかで実践される関係性の発見に加えて、調査の取りこぼしが少なくなるのです。この村落での社会構造の調査の中心のテーマは社会構造の現れ方とその変化ですね。権力構造とか、差別というものがどういうふうに具体的に示されていたか、また解消していったか、あるいは、解消してないとかですね。それから村落のなかで、権威がどういうふうに示され、その権威がどのように失われ落ちていくとか、緊密な関係が崩れるファクターが何であるか、です。

ところが、そういうのがつぶさに分かってますから、この村落のエスノグラフィーが一切書けないんです。あまりにも知りすぎたので、村落の名称も、同族団や家族の名前も、どんなに仮称を使おうとこれはもう書けないんですよ。

「調査データは客観的であるべき」ということへの疑問

「語ってもらえる私」になる

波平　フィールドワークによって得られたデータの客観性への疑問、そしてフィールドワークの難しさは初めての調査で気づきました。
　それこそ自叙伝みたいになりますけど、とても興味深いところから始まったんです。別のところでも述べたように、私にとっての最初の調査が、恩師である吉田禎吾先生を指導者として一九六四年八月に一カ月ぶっ続けに行われました。しかも八人の合同調査でした。どういう構成だったかというと、吉田先生、助手、大学院の最高学年から各学年のうえから順に一人ずつ、そして学部の四年生である私が一番下という構成でした。私にはそれが初めての調査なんですけれども、私より一学年上の人は、それが四回目か五回目の調査でした。一番上の学年の人は、アフリカでのフィールドワークを計画している人で、調査の経験と文化人類学の造詣の深さにはそれぞれの間に差があったんですね。それにアメリカのスタンフォード大学からのPh・Dキャンディディット（博士論文提出資格者）も加わっていました。

吉田先生の方針で、夕食後に調査に出かけ、皆が宿に戻ってくる夜の一〇時からブリーフィングというのが始まるんです。経験の長い順番にその日に、誰が誰に会って、何を聞いて、聞いた内容はこういうことであるということを一人大体三〇分報告する。その日に取った生のデータをみんなその日のうちに共有するためです。それに対して、みんなが質問をすると発表者が補足するということのくりかえしを、毎晩行ったんですね。その質問を受けて、また次の日にそれぞれ調査に行って、またデータを持って帰るというようにですね。

ブリーフィングを通して、何が分かったかというと、同じインフォーマントのところに行って、別の人が別のときに話しを聞くと、以前とは違うことを話すということなんですね。たとえば漁獲量だとか、歴史的な時期といったことについては何のズレはないわけですけど、それでも、必ずそこでインフォーマントは説明や解釈を加えるし、しかも、インタビュアーである調査者が違うと、解釈の内容が違うという事実のすごさですね。

半年後の一九六五年三月と四月に「犬神筋（いぬがみすじ）」という民間信仰に関係して差別の対象となっている家があり、差別する側と差別される側が混在している村落の調査を行ったときは、そうしたことがもっと激しかったんです。

この四国の調査のときは、何かというと非常に深刻な話が出てくるんです。よくこういう話をよそ者にすると思うようなエピソードですね。ところが、そうした深刻な話を聞いてくる人と聞いてこない人がいる。文化人類学の調査のデータというものは、そういうもので成り立っているというのを学部の四年生のときに学んじゃったんです。この経験は、いまだに私にとっての宝物なんです。

当時は、フィールドワーカーとしての自分を鍛えなければと考えました。どうすれば自由に語ってもらえるような私になるかとか、あるいは、どんな場面だったら相手の人はそこまで話すのかとかですね。

吉田先生がそういう深刻な話を聞いてきた場合には必ず注意をして、相手に話させすぎてはいけない。インフォーマントが「ああ、しゃべらなきゃよかったな」と思うような想いを残してはいけないということをよく言われていました。一体、どういう場面で話を打ち切らせる必要があるのか、聞きたいけどもうそこからは聞かないという態度を、どのように自分がとるかとかですね。

小田 インタビューのときには、ふつう「いかに聞くか」に注意が払われますが、「いかに聞きすぎないか」にも気を配る必要があるということですね。深いお話と思います。

絶対的に客観的なデータはない

波平 この合同調査の経験が、私が文化人類学における調査の具体的方法やそれを正当化する理論というものを考えるうえでの原点です。

ただし、現在では次のように考えています。人が人に何かについてたずね、それに答え、情報を得るという方法で集めたデータに絶対的な客観性はない。したがって、より豊かな内容を持つデータを集めるには、複数の立場の異なるインフォーマントに語ってもらった内容を、喩えていうなら、一枚のＯＨＰシートに一人のインフォーマントの与えてくれたデータを記し、別のインフォーマントのデータは別の一枚のシートに記し、それら何枚、ときには何十枚ものシートを重ね、それを上から立体的に眺めて得たものをデータとするべきだと考えています。

データの整理と言葉の重要性

「リーフを作ること」の大切さ

小田　質的分析一般に関しても、やはり「言葉を与える」というか、「いかに言葉を使うのか」、「事象をどう名づけるのか」というあたりが非常に大事なところだと思います。この点を私は『エスノグラフィー入門』ではデータの「概念化」と呼びました。波平さんが「ケガレ」という言葉を選ばれたのも、自明のことだったのですか。フィールドでも使われていた言葉だったのですか。

波平　壱岐島の勝本浦のフィールドでは「ケガレ」か「不浄」です。両方を同じ程度で使っていました。それと「赤不浄」「黒不浄」ということを概念化した言葉として使っていました。地元の人たちが禁忌に言及するときに言うのは「ケガレがかかる」という言い方ですね。

　勝本浦での「ケガレ」についてのデータへの強い関心があったから次の四国の村落での調査のときに、病気の状態をムラの人たちが「祟り」とか「障り」とかって言うことに強い関心を持ちました。この病気は「障っている」ことが原因なのか、そうではないか、と一九六五年から一九六七年の調査時には使っていた言葉でした。それらをリーフに整理しているときに、それを全部「ケガレ」に置き換えたらどうなんだろう？と思いついたんですね。そうしたら障りや祟りを全部「ケガレがかかる」と言っても、文脈がそのままで、全部置き換わるんですよ。

　リーフを書くというのは、どんなに大事かということをそのとき思いましたね。フィールドから帰ってすぐに、あるいは、調査期間が長い場合には、調査中にフィールドノートから調査時のことを詳細に思い出しながらリーフに写すということとが。

「言い換え」には気をつける

小田　「ケガレ」「ケガレがかかる」というのは、現地で用いられているかぎりでは、いわばフォークタームもしくは現地の概念、つまり現地の人が使っている言葉のレベルです。しかしそれを「分析概念」（研究者の側が対象を分析するために用いる概念。調査対象の側で使われる概念＝フォーク概念・現場概念に対する語。）として置きかえたのですね。現地語を研究用語へと抽象化したともいえますね。

　分析概念としてのケガレは、しかし日本語のフォークタームとしての脈絡も引きずっていますが、英語で発表されるときにはどんな訳語を使いましたか。

波平　pollution, polluting, inpure, inpurity です。

小田　それで通じましたか。ハレ・ケ・ケガレと三つ並べると、英語ではどういうふうになりますか。

波平　一九七七年ヒューストンで開かれたＡＡＡの学会（Annual Meeting of

American Anthropologist Association）で発表したときは、「ハレ」をピュリティ、「ケガレ」をインピュリティとしてました。別の機会には「ケ」を「ノーマル」とか「ニュートラル」といった言い方をしたこともありますけど。それを *Current Anthropology* に論文を発表したときには、pollution をケガレに対して使いました。

小田　翻訳の難しさ、恐らくピュリティ／インピュリティで表現したら、そこで抜け落ちてしまう「ケガレ」という概念に固有のニュアンスのようなものがあると思うんですよね。

波平　そうなんですよね。それと同時に、ピュリティというとやはりキリスト教的なニュアンスが入ってくるんですよね。

小田　そうですね。現地で出会った概念と、それをどう研究で使う分析概念にしていくのか――。

あと翻訳の問題も、特に日本語圏ではないところをフィールドにする人類学者はその問題に直面します。

波平　言葉を大事にと言ったとき、レベルの問題があるんですね。ほんとは「言葉」というより「単語」の段階から大事なんです。

たとえば「出産の痛みを人がどう語るか」ということで、修論を書いた人がいるんですけど、彼女が助産師だったために助産師としての「フィルター」がかかっているわけです。彼女が賢かったのは、全部をテープにとっていたんです。ですから、論文を書くときに、全部のテープの聴きなおしから始めた。すると、データ整理のときに産婦さんの語る出産・分娩時の語りに言い換えをしていることに気づきました。その言い換えは、助産師としての立場からの言い換えであり捉え直しであり、それでは分析が正確にできない。正確に言うと「データ」でもないわけですよね。

ずいぶん言い換えが起こっていることに、本人もびっくりしていましたし、私もびっくりしました。言葉遣いと言ってしまうと、丁寧語なのかどうか、といったことになってしまいますから「言い回し」といった方が適切ですね。単語レベルのことも含みますから。

5

言葉はいつも大切に

▼1

質的研究を行う場合は特に、言葉に対して、自らの感受性を高めることが重要である。

インフォーマントの語る言葉を、データの整理の際、データの切り取りにおいて、うっかり、あるいは、他のデータとの整合性を高めるため意図的に一般用語に置き換えてしまうことがある。しかし、その際でも語った言葉は残したままで、一般用語を併記するくらいまで、インフォーマントが語った言葉を重視する。そして、そのまま記録しておく。

▼2

インフォーマントの言葉は、語ったそのままを一次資料として整理する。

▼3

データを一つのリーフにまとめる（データの切り取り、切片化）時、リーフに付ける項目のタイトルを吟味する。

語りのなかから、研究テーマにおけるキーワードや専攻する学問領域の概念や用語、あるいは、すでに多くの議論が行われてきた研究テーマに関するものをタイトルに付ける。それ以外の内容について項目タイトルを付ける場合、タイトル名をよく吟味することが重要である。なぜなら、いい加減な、おざなりなタイトルを付けると、データの内容分布を正確に知ることができないからである。

▼4

論文を書く場合は、より的確なだけでなく、読み手に戸惑いや、誤解を与えないよう文章を吟味する。読み手に負担を与えずに理解してもらえる単語を選び、フレーズを選び、フレーズの順序、文の順序、議論の進め方に注意を払う。

▼5

できれば、議論の内容を、読み手に強くアピールする単語やフレーズを考え、それを論文のなかで適切に、かつ頻繁に用いる。

［波平の体験］

脳死臓器移植をめぐる議論で波平は「遺体観」の語を自ら主張する結論をアピールする語として設定した。

その場合、「ダイアグラム２」で示したように、幼い頃に抱いた疑問によって、何が本質的であるのかに気づいていたことはあり得る。

intermezzo
子どもの時の体験と「プロの『よそ者』」への道

▼第Ⅰ部は質的研究において直面しやすい基本的な課題にヒントとなることを語っていただきました。第Ⅱ部では、すこし踏みこんで、人類学者としての視点から掘り下げられた質的研究の応用的課題を語っていただきますが、ここでちょっとひとやすみ。

研究や調査の初心者は、自分がゼロから出発すると思いがちです。けれども、質的研究では、これまでの自分自身の経験がなによりの資源となりそうです。それは大人としての社会経験とは限らず、子どものときの体験も、ひとつの貴重な資源、「データ」になるのではないか——そのような視点から、ここでは、波平さんの子どものときの体験を、少し自由に語っていただきました。

（編）

――新聞連載を読まれた医師の方から突然電話がかかってきて、記事の内容についての抗議を受けたというエピソードをある本のあとがきにお書きになっています。六〇分近く続いたその方の話のあいだ波平さんは一度も口をはさまずに全部を聞いた、それが医療の問題によりコミットしていく契機のひとつになったと書いておられますね。

波平　そうですね、自分の研究をよく考えたら、自分が主体的に選んだというよりは研究テーマとの出会いは、もうほんとに偶然に偶然が重なっているんですね。その研究テーマに取り組まざるを得ない、抜き差しならないような状況で始めているような印象を持っています。

――波平さんが「見る子だった」「聞く子だった」とあるところでおっしゃっていたのが印象的です。ある現実に対して、怒る、泣くといった反応ではなく「見る」「聞く」というところにとどまる子どもだった。〝受ける・聞く〟という受動的な姿勢を感じます。

波平　ええ、場面によってはそうかもしれません。

――「今では私はよく話します」とおっしゃっていますが、その「話す」という行為も単純に能動的といえないのではないか。子どもの頃から、見ること、聞くことによってまわりの世界を受けとめ、それらが飽和して溢れるように話さざるを得ない状況が生まれていった、そんな印象を受けました。先ほどの医療人類学に関わるきっかけとなったエピソードも同様です。

波平　そうですね。『病気と治療の文化人類学』（海鳴社、一九八四年）は、私の最初の書き下ろしの単著ですが、その序文に当たるところにやはり個人的体験、記憶について述べています。それは六歳年下の妹が重い病気をしたときの父と医師の態度と、一方で治療を受けられなかった幼い男の子についてなのですが、医療人類学の研究に手を着けるようになった自分の動機として述べています。

このように、誰もが幼児の頃から見たり聞いたりしたことが無数にあると思うんですけど、私はなぜか今でも多くのことをつい数年前のことのように、覚えているのです。なぜそういうことを鮮明に覚えているのかって言われたら、よく分からないんですけど。そして何十年後にデータを見たときに、過去の自分の経験と結びつけて、そこで研究テーマが始まるようなところがあるんですね。

――子どもに向けて書かれた『生きる力を探す旅』（出窓社、二〇〇一年、二〇〇七年以降分冊されてシリーズ化）では、子どもたちはたくさんのことを見ていて、ある意味で大人以上に何かを非常に深く感じているのだけど、表現する言葉がまだないだけなんですよということを書いておられますね。多くの人は、それでもだんだん既存の言葉を知って納得していくのだと思いますが、波平さんは用意された言葉ではとても足りないほど、小さい頃に周囲の世界を感じてしまったのかもしれません。それらを「言葉にしていかなければ」という切迫感のようなものを感じました。だからこそこの本には、子どもに対して「感じていること」を自分だけのものにせず、ちゃんと言葉にしていく筋道はあるんですよ、という一貫したメッセージが流れているのではないでしょうか。

波平　子どもが思ったり感じたことを全部言葉で充分相手に伝わるように話しはじめたら、世の中変わるだろうなといつも思うんですよ。

――波平さんは、子どものときを、今でも「しゃべっている」のかもしれませんね。

小田　そうか。無口だったときの観察をね。

――それは、本書の主要な読者でもある学生の方や若い研究者、どこかの「現場」に出たばかりの方などにもぜひお伝えしたいことです。ただ、そういった子ども時代の体験は、たいがい忘れてしまいます。でも、みんながもう少し子どものときの体験の記憶を大事にしていたら、それこそ世の中変わるのではないか……。

いっぽう大人の方もそういったことを子どもに伝える言葉を忘れてしまうものです。でもこの本ではちゃんと子どもに話しかけている。波平さんが子どもの頃に感じたことをなぜ伺ってみたいと思ったかと申しますと、こういった言葉は、小さなときに何かないと、残せないのではないか……と。

波平　私は自分は子どもなのに、同じ年ごろの子どもと遊んでも全然おもしろくなかったです。ちっとも遊びたいと思わなかったですね。

学校に上がるまでに一番好きだったのは、太陽光を鏡に映して、それを壁や天井に反射させて遊ぶことでした。

もう少し大きくなってから一番好きだったのは、玄関から田んぼや畑を通して向こうに山が見えるんですね。家のなかの梁に綱を吊して作ってもらったブランコに乗ってこいでいると、その山が行ったり来たりしますよね。それを見ながら、一時間でも二時間でもブランコに乗ってました。私が子どもと遊ばないのを母がとても心配してました。「学校に行ったらどうするの？」ってしょっちゅう言われたのを覚えていますから、大体六歳ぐらいまではその調子だったかな。

それから、今思い出しても楽しかった遊びは、庭にゴザ敷いて雲を見ることでした。もう何時間でも飽きずおもしろかったです。だから私は少々自閉症ぎみだったかなと思うんです。

――そういった経験をもつ人は意外といるのかもしれません。「七歳までは神のうち」の時期に、社会的に遊ばずに、存分に「神」をなさっていた感じかもしれないですね。

波平　私は本を読みはじめて変わりました。変わったのは小学校一年生ですね。字を覚えて、本を読みはじめてからです。一年生になる前に父がひらがなを教えてくれました。それからもうむちゃくちゃ本を読みはじめて。寝るときに本を何冊も枕もとに積んで、寝るまでにこれだけ読むんだと決めるわけですね。そしたら、たいてい二、三ページで寝てしまう。朝起きて、読めなかったって泣いていました。

次の体験は『生きる力をさがす旅』のなかにつかっているエピソードです。

昔の子どもは、エプロンをつけていたのですが、そのエプロンのポケットのなかに新聞の切れ端を入れてよく眺めていました。それに字がいっぱい書いてあるんです。

私は「字」っていうものが何であるのか、分かりませんでした。母が台所で炊事をしてたら、父が新聞を読んで聞かせるんですね、私はそのことがもう不思議で不思議で、どうして父の口からあの言葉が出てくるのか、分からなかったんです。

――そういうふうに覚えていらっしゃること自体が、特異だと思うのですが。

波平　私も父が見ているその新聞を見るけど、自分の口からは何にも出てこない。私はね、字を見たら自動的に口から言葉が出てくると思ってたんです。父が新聞を読むのを見て。

そこで、エプロンのポケットに新聞の切れ端を入れて、時々こうして出して見ても、私の口からは何にも出てこないんです。どうしてお父さんは言葉が出てくるのかって、とても不思議でした。文字という概念が全然分かんない。そして、小学校に上がるからもうそろそろひらがなを教えようと父が言って、ひらがなを教えてくれたときの驚きの大きさはサリバン先生とヘレン・ケラーの『奇跡の人』のなかで、ヘレンが「水」という言葉のあることに突然気づいたシーンを映画で見たときに、あ、あ、あれよねとかって、私の体験の意味に思いあたったんです。

文字が音を持っている、さらに意味を持っているという。そして文字をいくつか書いたら「犬がいました」とかいうふうになるって。そうして私がいつも不思議に思っていた、父が母に新聞を読んで聞かせる行為が持つ意味と結びついたのです。

——多くの子どもはそのプロセスは無自覚に通り過ぎるのではないかと思うのですが、かなり自覚的ですね。それこそ、文字社会と無文字社会の間を通っている。字を教わったときの記憶はありますか。

波平　はい。片面にひらがなの五〇音が、もう片面に絵が描かれているもので、犬の絵の裏には「い」が書いてあるという積み木を買ってきて「さあ、おまえもこれを読めるようになろう」とかって言って。それを見た途端に分かりました。

——そういう〝わけ〟か、と。

波平　そういうわけ。あ、それでお父さんは、あの紙（新聞）を見たら口から音が出るのかって。

——「分かった」といううれしさですね。それまでは疑問だったわけですね。

波平　大きな疑問だった。どうして父の口から言葉が出てくるのか。

それからはもうとにかく本が読みたい。戦後間もなくで、子ども向けの新しい本などを売ってないので、母が古本屋を回って子どもの本を買ってきました。それを結核菌が付いているかもしれないって母が全部ゴザの上に一ページずつ開き、その上に竹を置いて、そして全部のページの日光消毒するまでは触っちゃいけないと母が言うんですよ。それで竹の間から本のページのぞいていました。

読むというそのことが大事で、中身は何でもよかったのです。子どもにしては大変な読書量で、それも系統だってなくて、ただ昔の本はすべて総ルビがふってありましたからなんでも読んでいました。あるとき、今思い出してもおかしくって。いろんな本が押入れのなかにあったのですが、それは叔父が我が家に預けてたんですよね。そのなかに、『好色五人男』があって、それを私は意味が分からないまま、大きな声で……読んでいたんです。そしたら母が飛んできて、パーンって押入れの奥にその本を放り込んで（笑）、後になってああ、それはそういうことだったのかと分かった。

——おもしろいですね。大人の社会が何かふっと隠す気配、というものがありますよね。生死の問題ですとか——子どもはその隙にたいへん敏感だと思います。

波平　今何か隠したなとか、何か言いよどんだなとか、「もしかしたら、それが大事だったのでは」とか。

——はい。でもきっと大人にとってみたら、それはもう隠せたもの、ぐらいに思っているけれど……

波平　だからね、今、子どもたちがいろんな問題を抱えてるでしょ。大きくなって突然出てくるように見えるけど、私は自分の子どものときのことを考えたら、幼い子どもの心を大人がむちゃくちゃに傷つけてると思うんですよね、意識しないまま。だから子どものことを大人がもっと分かってやらないといけないという気持ちがあって、『生きる力をさがす旅』を書いたんですけど。

——やはり子ども時代に感じたことを今でもずっと持っておられる、波平さんはもしかしたら今もまだ同時に三歳なのかもしれません……。

小田　人類学者とは「プロのよそ者」だという表現があるんですけどね。子どもって「世界のよそ者」なんですね。

波平　そうなんですね。

小田　生まれてきたときには、何も知らなくて。全部がなんて言うか、よそよそしいとかよく分からない世界にだんだんと入っていって、そのよそ者性を忘れていくのが普通なんだけれども、それを波平さんはどこかでずっと持たれているのかな。

波平さんの場合、日本がフィールドであり続けていますね。よく人類学者は自分が住んでいる社会のことを知るためにいったん外に出て、そこから元の世界を相対化するんだというんですけれども、波平さんは、それをせずとも日本社会のなかでのよそ者性をずっと持っておられて、ある程度の距離を持ちながら観察することができているのかな、という気がします。

——出て行くまでもないということでしょうか。

小田　僕はもう外に出たくてしかたがないんですね。日本だけに居ると息苦しくなってきます。あの、どこか、いわゆる「異文化」の調査をしようとお思いになることはない？

波平　試みたことはあるんですね。それは、ただ文献を読んでおもしろくて。たとえば文献で読むかぎり、ニューギニアって大好きなフィールドだったので、本はずいぶん読んでいました。それでニューギニアの調査をしようと思って畑中幸子先生にくっついて、二週間ほど行ったんですよ。畑中先生は、吉田先生の世代と私の世代の中間の世代に位置される方で、ニューギニア研究の専門家です。

それからグアテマラへも行きました。これはＪＩＣＡの仕事で医療人類学の応用学的調査のため、二週間ほど行きました。テキサス大学にいるときに周囲に中南米の研究者がいて、移民がいて、中南米産の物が溢れていました。また、中南米のエスノグラフィーが大変おもしろいんですよね。だけど一番の問題は、言葉です。言葉が完全に分からないというのは、もう私にとっては調査をするうえで絶対的にマイナス条件なんですよ。私には言葉を新しく学ぶ才能がないと思いましたので諦めてしまいました。

小田　その感覚。完全に分からないとだめなんだという。それは波平さんの特徴なのかもしれません。僕など適当にやってしまうわけですけれども（苦笑）。

波平　私はそれまでに日本で調査をしすぎてますからね。

小田　あ、そこまで至らないと。

波平　至らないともうやる意味がない。ちょっと耳にはさんだあの言葉からこう膨らませてというように、調査ができるわけですからね。

――色々なことを感じているけれど、まだ人に伝える言葉にできない、しかしそれを既存の言葉にあてはめて終えてしまうのではなく言葉にならない自分のひっかかりを大切にして、保ち続ける――それは自分にとって意味があるだけでなく他の人たちの言葉にならない思いをひらくことにもなる……初心者であることは、質的研究では決してマイナスではなく見方によっては強みにさえなるのかもしれませんね。

第Ⅱ部　経験を聴く

第5章

当事者の切実さを忘れない。なおかつ当事者と異なる視点を忘れない。

質的研究と実践の人類学

実践の人類学は、対象となる人々が直面している重要な問題に関わろうとする。その場合、当事者とは異なる視点から問題を見て異なる方法で分析し、発言し、さらに当事者の人々の意見や対応、時には排除されることや非難されることも受け入れる態度が重要である。

印象的なひとこと「言葉を与えてくれた」

小田　波平さんはこれまでの研究や実践のなかで、医療者とどう関わってこられたのでしょうか。そのときにどんな問題に直面されましたか。

波平　一番の問題は、やはり、研究者が、自分に問われていると考えたり、アドバイスを期待されていると考えて提供する内容と、研究者に問うたりアドバイスを期待する側との間のズレ、そして回答したとしても、それを受ける側との間にズレがあるということだと思います。

私の場合、外に向かって一番活動したのは、脳死臓器移植に関わる研究なんですね。新聞社が企画した鼎談や総合誌の対談、紙誌上での論文やコメント、インタビュー記事、さまざまな団体が主催する講演会だとか研究会だとか、もっと私的で小さな集まりだとか、あるいは内密に招かれて意見を聞かれたとか。このように、従来の研究の場ではないところでこれほど発言したのは脳死臓器移植に関わることだと思います。その人たちが、私から一番引き出そうとしたのは何かと言うと、あとになって考えてみると、やはり「言葉」なんですよ。

医療者のあるグループでは、自分たちは臓器移植反対なんですね。けれども、患者の生命を救うべき医療者として反対はできないというのが基本的態度としてあるわけです。けれども、「やりたくない」、あるいは「これはおかしい医療だ」とあの当時思っていても、まず第一に問題なのは、なぜ自分が「おかしい」と思っているのかが自分では明確に分からない。それを同じ医師仲間である移植医療を推進する人たちに納得してもらえるように自分の考えを説明するうえでの表現法が分からない。反対だと言ってしまうと、勢力争いだと——特に学内あるいは学部のなかで、予算の配分がからんできますから——思われやしないかと態度表明をためらっているときに、相手も納得するし、自分も思ってることに一番近い言葉で言える言葉を与えてくれた、と言われました。「言葉を与えてくれた」と言われたのが、一番印象的だったですね。

小田　言葉を与えてくれた――

波平　ええ、「言葉を与えてくれた」と言われました。たとえば、どんなふうに言葉を私が与えましたか？ってたずねたら、「死体観と遺体観は違う」なんていう、簡単ではあるが、「アッ」と思いあたるような言い方をすると、議論している相手が分かってくれた、というようなことです。

小田　それは波平さんははじめから、死体と遺体という概念は違うというふうに思われていたのか、それともどういう経緯で――？

波平　それははじめから違うと考えていました。ただし、自分の考えをアピール性の高い、しかも、歪曲や省略しないで示す言葉として「遺体」という言葉をつかうと決めるまでにはさんざん考え抜きました。

伝えるために考え抜いた

波平　オーディエンスが誰であれ、この点は分かりにくいだろうと考えたのは次のことです。まず、死亡後も身体がある一定期間、生きていたときの形状のままであり、そこから生きていたときの人格を取り去るということが、日本人にとっては何よりも重要な手続きなのです。その手続きが死者儀礼のなかでいかに念入りに発達させられているかということを理解してもらうには、死者儀礼の細かい手順を言わないと分からない。ところが、たいていは一五分で話してくださいとか、せいぜいが一時間半で話してくださいと言われる。短い時間のなかで儀礼の細かい分析を話していたら、まず多くのオーディエンスは途中から退席してしまうだろうと思われる。

脳死臓器移植では、「人格が残っている」と見なす状態から摘出が始まるわけですが、それがこれまでの死の直後に生じる状況としては、どれほど例外的な状態であるかということ、それが人格を変質させる通常の手続きをいかに大きく混乱させることになるかをまず理解してもらわなければいけない。

それから、理解してもらうのが難しいと思ったのが、「医療者にとっての患者の死」と「家族にとっての家族の内のだれかの死」の違い、そして自分が死んだあと自分の死体はどうなるのだろうといった、生きてるうちに自分の死を考えた場合とでは、死の意味が全然違うということです。ですからアンケート調査では、回答者が脳死臓器移植に賛成だと言っても、家族内で実際に脳死者が出たとき、臓器提供に家族が反対するということが起こる。つまり立場が違うと、同じようにそこに死体があっても、それとの〝関係性〟がそれぞれに違う。これをうまい言葉で、しかも短い時間で分かってもらえるにはどう表現したらいいかと考えて、結局「死体観」とは異なる「遺体観」という言葉を使えばいいと結論しました。

伝えるために調べ抜いた

波平　しかし一方で「思いつきだ、言葉遊びだ」というふうに言われないために、次のような手順を踏みました。三大紙と地元のブロック紙の十年分を調べました。それと週刊誌ですね。先にお話したように網羅して読むということに苦痛を感じないので。そういう媒体のなかで「遺体」と「死体」という言葉は現実に使い分けられていることを確認し、その事実をデータとしました。

小田　それは、臓器移植に関する記事ではなく——

波平　死体が見つかった事件の記事です。事件の記事をなぜ選んだのかというと、事件の記事では死体の身元が最初わからないことが多く、そのときは、「『死体』発見」と最初に出てきます。そのうえで死体が見つかったという記事の継続記事を見ればいいわけです。そうすると、途中で表現が「遺体」になるわけですね。警察関係の人にもインタビューしました。それから高速道路の交通機動隊で働いたことのある人。高速道路で交通事故が起こったら、たいてい死亡者が出るわけですね。そういう場合、救急車と警察車輛も一緒に事故処理に行く。その人にもインタビューしました。そうするとこのような人たちの会話のなかでは、完全に遺体と死体と分けて話します。

私の以上のようなデータを並べた話を聞くと、医療の現場の人たちは、その頃から「ご遺体」という言葉を使ってましたから、私が伝えようとしていることが分かるわけです。

しかし、「遺体と死体は違うんです」と言っただけでは、彼らは絶対納得しないことがすでに分かってますので、私は何年から何年までの新聞を何百件も見ました。それから週刊誌の記事をこれだけ見ました。私が見るかぎり、一つの例外もなく、死体の身元がわかり、その死体は生前だれの身体であったのかがアイデンティファイされた途端に、新聞でも週刊誌でも「遺体」になってます、もしお疑いになるのなら調べてくださいと言って。「このように調べました。その結果これこれがわかりました」、ということが持つ効果はたいへん大きかったです。

小田　それは、戦略ですね。

波平　そうです。そこが、他領域の人に文化人類学というものを分かってもらうための戦略なんですね。そこを「文化人類学ではこう言います」ということは、絶対に言っちゃいけないんです。「文化人類学では」と言った途端に、〝文化人類学では〟になるわけで、「そちらの分野の話よね」「私たちはそういうことには関心ないよね」と口には出さなくても、オーディエンスは一挙に関心を失ってしまいます。

そう言わずに、どのように言うか、なんですね。そのときに役に立っているのが、『西日本新聞』に一年間「暮らしの中の文化人類学」を書いた経験なんです。

小田　それは前もってこの執筆経験があって、そして脳死臓器移植に続くのですね。

波平　そうなんです。だから、新聞に書くというのは大変いい経験で、多様な読者からどちらの方角から矢が飛んでくるか分からないんです。そのために担当編集者とデスクと、二重、三重で記事をチェックされてるんですね。ちょっとでも人類学的な言葉が出てくると、書き直してください、あるいは説明の文章を入れてくださいと言われるわけで、この経験が活きました。どのような表現をしたら、どういう用語を使ったら、「分かりにくい」と指摘されるのかが分かりました。

新聞を読んだ人が何か問題があると言ってくる電話というのは、鋭いだけではなく、記事には書いていない背景を説明してもその説明が分かってもらいにくい。

ですから、どういうふうに書いたときにクレームがつくか、デスクはよく分かってます。私も二〇回ぐらい書くと大体分かりましたから、全部それらを排除していったんですね。同じ『西日本新聞』から再び一九九〇年四月から一九九一年三月までの一年間「いのち」をテーマにして五〇回の連載を依頼されました。このときは「暮らしの中の文化人類学」のときより、はるかに編集者からの指摘が少なかったですね。この連載は『いのちの文化人類学』として一九九六年に新潮選書で刊行していただきました。

『暮らしの中の文化人類学』のまえに、『病気と治療の文化人類学』(一九八四年)『ケガレの構造』(一九八四年)『ケガレ』(一九八五年)を刊行していましたが、一般媒体の連載は、この新聞が初めてでした。

新聞は、狭い範囲にオーディエンスを想定することができないメディアですからね。この経験は大変役に立ちました。

異分野の人に話すとき、大切にしたこと

小田　脳死臓器移植の問題で波平さんが呼ばれた場はどういう場だったのでしょうか。反対派の医療者の集まりですか。

波平　さまざまな集まりです。たいへん微妙なのですが「反対する人たち」とは絶対言わないですね。たとえばある大学の脳外科と麻酔科の医師の集まり――これはもう明らかに反対ですよね。それから日本移植学会。これは全国規模の学術大会です。それから日本移植学会が主催するワークショップ。ここには、反対派の一般の人々も来ています。

そもそも、私が臓器移植の問題を研究対象にすることになった事情は次のようなことです。ある大学で近いうちに実施するかもしれない脳死臓器移植が抱えるであろう問題をにらんで、医療倫理上の問題が出てくるというので、アメリカの二つの代表的なバイオエシックス研究所から上級研究員全部を集めた非公開のシンポジウムを開催したのです。そのときに、日本人が死体・遺体に対してどう考えるかという報告がなければいけないということで、そのシンポジウムの準備段階に企画者たちが何人かの文化人類学者にこの件について話してもらったという

ことでしたが、話の内容がよく分からなかったということでした。

小田　先に呼ばれた何人かの人類学者と波平さんとの違いは、「文化人類学ではこうなんだ」という言い方をしてしまったかどうかの違いなんですか。その違いというのは何なのかが、恐らく人類学者が社会と関わるうえでポイントになりそうなことですね。

波平　不思議な集まりからいろいろ呼ばれまして、たとえば交通事故が起きたときに関わる多様な人々が入っている研究会。警察もいれば検察の人もいれば、保険会社の人もいれば自動車会社の人もいれば、タイヤのメーカーの人もいる。あらゆるリアリティーの詰まった集まり。かなり大きな集まりだったんですが、その研究会の世話役の人からも打ち合わせのとき同じことを言われたんです。何回か文化人類学者の話を聞いたのだけれども、よく分からなかったと。

そこで自分と大きく異なる領域の人々の集まりに招かれると、かなり時間をかけ、よく考えて話の内容を決めました。そこでは、遺体観と死体観が違うということについては、既にかなり書いてましたから、もうそこは簡単に話しました。

そして、日本の社会というのは贈与・ギフト〔一般的には物や金を相手に贈ることをいうが、文化人類学の領域では、フランスの社会学者であるマルセル・モースの贈与の研究が一九二五年に発表されて以来、贈る・受け取るという行為やその関係、さらには贈る物品には複雑な背景があるとする〕ということに関しては非常に洗練された、発達した慣習や制度を持つ社会だ。ギフト、贈与、あるいは相互に贈与する交換に関わる慣習制度と比べると、いかに脳死臓器移植が――生体移植でないかぎり――その例外的な贈与関係であるかという話をしました。保険会社の人たちには特に分かってもらいやすかったようです。なぜみんなが反対して、しかも明確に反対しないのか。アンケート調査では賛成だけどいざ自分の亡くなった家族の臓器提供となったらみんなが反対するのか、その理由がよく分かったと言われました。

場面場面に応じて言ってることの内容にまったく揺らぎはないんですが、何をデータとして使うか、どういう順番で話すかというのは、依頼がきたときから考えます。オーディエンスに分かってもらいやすいエピソードの選択は考え抜いて行きますね。

小田　人類学者として呼ばれているということであれば、人類学のこれまでの研究では、というふうに語ろうとするのが普通だと思うのですね。恐らくそのことによって、人類学の世界の話をしているという受けとめられ方をして、「それは分からない」ということにつながるのかもしれないのですけれども。波平さんがそういう手を取らなかったということは、どうしてなのですか。

波平　私には、彼らは人類学の話を聞きたいわけではないという絶対的な確信があるわけですね。この人たちは人類学の話なんか全然聞きたくない。医療でも何でもそうなんですが、「目の前の問題をどうするか」なんですよ。明日には答えを出さないといけないような場面に置かれている人たちが私を呼ぶわけです。

だから、教養として、知識として聞きたいわけじゃない、日常の業務が大変忙しいわけですから。切羽詰まってしか他領域の話は聞かない人たちですからね。だから、切羽詰まった人が、「人類学者としての立場から」なんていう話を――たとえ依頼はそうであったとしても――そんな話は聞きたくないというのは、もう自明のことですから。

小田　既存の「知識としての人類学」をもっていくのではなく、「ものの見方としての人類学」を実践されてるわけですね。そこの違いなのかな。

波平　多分そうなんですね。一方では私は文化人類学の宣伝をするのが大好きなので、もう文化人類学一筋みたいなところがあって、最後のところで、文化人類学ではこのことをこういうふうに言います考えますと、必ず話すわけです。やはりオーディエンスを見ていれば、納得したかどうかというのが分かりますので、納得したらしいのを見計らって、文化人類学の宣伝をします。一番最後には言います。

たとえば「死者儀礼とは」「儀礼とは」、といった簡単な文化人類学の基本的な分析や概念は必ずちょっと入れるようにしている。ちょっと宣伝しているのです。

ただそれを冒頭では絶対言わない。

エピソードに何を語らせるか

波平　冒頭で取り上げることになるのはエピソードです。
どんなオーディエンスでも、エピソードは大好きですね。フィールドワークで自分の集めたデータは膨大ですよね。そのなかのどのエピソードを使って、エピソードに何を語らせるかということは、このことを応用・実践の人類学を行う場合には簡単に考えてはいけないと思うんですね、よっぽど練らなければならないと考えています。

小田　推進側の医療者に対しては、どういうふうにお答えになられましたか。

波平　まず私の分析を最後まで聞いてくださいと頼みます。一番中心にいる人たちとはかなりの回数話しています。その人たちには、私の分析の内容をまず聞いてください、それで先生方が、どこかおかしいと思ったところがあったら私にたずねて反論してくださいと言います。多くの人が私の分析について「そのとおりです」って言ってました。「だけど、やらなきゃならないんです、私たちは」とも言うのですが。

ニュートラルでありつづける

小田 波平さんの場合、それはニュートラルでずっと貫き通したということなんですか。推進派の側にも、反対派の側にも。

波平 そうです。講演の交渉の最初のときに、私は「賛成、反対かは絶対に言いません、それでいいですか」と念押しをします。小さなグループのときではなく、公開講演なんかのときには、次のように言ってました。

私の話を聞かれたら、脳死臓器移植が「通常の医療になる」ということには非常に悲観的になるでしょう。すぐには進まない。法律的に問題をクリアしたとしても臓器の提供が少ないと私は見てます。百例にいくまでに何年かかるか分かりません――この予測は残念ですが、見事に当たったんです。一九九七年十月の法律施行から十年以上たっても提供者はまだ百人に至っていませんからね。非常に悲観的になると思いますけど、日本の医療・医学というのは、これまでたくさんの困難を乗り越えてきて、たとえばペニシリンが導入できなかったときに何をやったか、長年臨床を行っていた先生がいたらご存知のはずだと。それから、これこれをやれなかったときには、何を代替として具体的な医療を行ったかというのは、皆さんはよくご存知のはずです。死体からの臓器摘出と移植がやれなければ、必ずどこかに別の道を見つけて、新しいことをやる、それが日本の医療が辿ってきた歴史です。それを信じてますと、必ず言いました。

生体肝移植の最初の一例の患者さんだった裕也ちゃんって子は亡くなりましたが、これを嚆矢として、必ずこれから学んでいって、日本しかやれない医療というものが発達するはずですと。

小田 そのためか、オーディエンスとのまっこう対立は生じませんでした。どこでも、どんな小さな閉ざされた集まりも含めて生じたことはないですね。

波平 「言葉を与えてくれた」という評価は、強いて言うと反対派からの評価だったわけですよね。

小田 そうです。

波平 推進派側からは、どういう評価があったでしょうか。納得はするんだけれども、同じような評価があったんですか。これだからこそ進まないんだという。

波平　推進派の人たちの評価というか反応は実にさまざまでした。医師ばかりの集まりでは「あなたのような人がいるから移植が実現できない」と言われたこともあります。一方、相談もあり、「ヘリポートを作っておくべきか」という病院経営者からの相談、アメリカで移植医療の研修中だが、自分の臨床医としての将来はあるか、という相談などです。

何年間にもわたるやり取りのなかで、推進派の医師が最終的に私を評価したのは「なぜ臓器移植を実現するのがこれほど困難なのかについて、自分たちが納得できる説明をしてくれた」ということでした。

――波平さんの研究者としての立ち位置は、どちらかの立場に立たない、どちらの立場にも立たないという意味でのニュートラルではなく、どちらにも立つ、どちらにも生死の問題が、おのおのに発生していて、そのおのおのの取り替えのきかなさをよくよく分かっているゆえのニュートラルなのではないでしょうか。（編）

大胆に、そして細心に

小田　その臓器移植に関する論議が盛んな激動の時期に、やはり「日本文化」を引きあいに出す梅原猛さん（哲学者。文学、歴史、宗教などに幅広く大胆な仮説を提示し、梅原古代学ともいわれる領域を確立した）をはじめとする方がいたと思うんですけども、その人たちとの違いはどういうところにあったんですか。

波平　梅原さんと同じ講演会で二度ほどご一緒したことあるんです。梅原さんがどんなことを話されるのか、よく分かっていますから、私は逆にとにかく詳細、ひたすら、事実を挙げるように努めました。「日本文化では」ですとか「文化的要素」といった言葉を極力減らし、「文化というものは文化人類学ではそんな大ざっぱな印象で議論するようなものではない」ということが分かるように話したし書きました。

小田　たしかに文化概念には、そうした危うさがあるようです。

ルース・ベネディクトの『菊と刀』にも飛躍がいろいろとあって、急に太平洋戦争の頃の話から、平安時代の話に飛んだりするところがあるんですね。それを「日本文化」というふうにくっているわけで、要するに文化概念にはそうした飛躍を許すような危うさもあると思います。

波平　質的研究を志す場合、後の「アブダクション」の概念でも論じることになるのですが、「大胆」と「細心」を同居させることが必要だと思います。問題の発見は大胆に行い、一方、データの収集、整理、分析には細心を心がける。一部の文化論のように、飛躍だけでは、次が続かないのです。

なぜ医療人類学だったのか

小田　臓器移植論議に関わる前にもケガレの観点から死体に関する事象についてでは関心があって、それで医療につながっていったというお話をされていました。

波平　そうですね。前述の、関東地区のある大学の臓器移植に関係したバイオエシックスのシンポジウムに呼ばれる以前に、「死体に関わるケガレと生殖に関わるケガレは同じケガレと言いながら、日本の場合、どういうふうに文脈が違うか」という視点からデータを相当集めてました。それは、書かれたデータがほとんどでしたが、それと自分のデータを照らし合わせて、これでいけるだろうということで、本格的な学術論文を書きはじめ、一九七四年から一九七六年、一九七八年と続けて「ケガレ」についての論文が『民族学研究』（現・『文化人類学』）に掲載されました。その間、一九七七年にテキサス大学のPh・Dを取得していました。

ケガレの研究を行っているその途中から次の自分の研究テーマを探していました。医療人類学を自分で本格的にやるつもりはなかったんですけど、やはり読み続けていたというのが今考えてみると不思議ですね。雑誌論文だとか、単行本はずっと求めて読んでいました。

小田　それは、テキサス大学時代にはすでに？

波平　テキサス大学にいるときには、Medical Anthropology（医療人類学）という言葉を聞いてなかったですね。そういう科目の授業をやっていませんでしたし。帰国してから何年かして最初にアメリカの文化人類学者であるアレクサンダー・アランドの『医療人類学』（原題は *Adaption in Cultural Evolution: An Approach to Medical Anthropology* 原著は一九七〇年刊）を初めて読んだのです。おもしろいなと思ったのは、病気というよりも、病気という複雑な現象をそれぞれの文化がどのようにまとめ、概念化するのかということでした。「ケガレ」の研究を始めた頃の延長ですね。遺体についてもそうでしたが、それが臓器移植にからんだことで、一挙に医療の現場にいる人と接するようになったということです。

小田　そこなんですけども、たとえば波平さんの周囲にいる人たちから、そういうことに手を出すなといったことは言われなかったのでしょうか。

波平　ああ、それははっきり「手を出すな」と言われました。「医療は、医者でもない者が公に書くテーマとしては〝ヤバい〟」とも。ある人からは「ケガレを研究テーマとしていれば、一生飯が食えるのに、なんであんな変なことやるんだ」と言われました。

小田　それにもかかわらず、関わってゆかれたのは――？

波平　ひとつには、私は医療人類学は絶対流行ると一九七〇年代の終わりには思ったんですね。それはもう、アランドのものを初めて読んだときに思いました。

いまひとつには、吉田先生と研究室全員で行った四国の調査で、「犬神筋」と呼ばれる、俗信に基づいた病気の原因を作り出すとされる差別される家筋の調査を行ったことです。「タタリ」とか「ツキ」と呼ばれる病因についての信仰は、文化人類学がウィッチクラフト（妖術）〔日本における「憑きもの」に似た信仰。特別の能力を持つ人はその霊魂が他の人を死なしたり病気にしたり、ときには特別な幸運をもたらすことができると信じられている〕とかソーサリィー（邪術）〔日本における「呪い釘」などはその一種であり、特別な方法によって他の人を死なしたり病気にしたりできるとする信仰〕のテーマであり、多くの蓄積を持っています。修士論文を書くうえでかなりの文献を読みましたので、文化人類学が病気と治療に関する膨大なデータを持っていることを知っていました。

それらを“Medical Anthropology”として領域あるいはテーマを明確に提示することの効用性にひかれたのだと思います。病気や健康保持について、また身体について、文化人類学が貯め込んでいるデータを、これでまとめられる、と。そして何年後か分からないけど、日本で必ず注目を浴びる領域だと思い、それでまわりの若い人に勧めていたのです。「私はやる気はないけど、医療人類学っておもしろい領域があるよ」と。すると後に、出産を中心的テーマとする医療人類学の専門家になった松岡悦子さんが興味を持ってくれたのですが、それは少数です。

そのときにたまたま、吉田禎吾先生と同世代の文化人類学者で、一九六〇年代以降の日本の文化人類学のリーダーのお一人であった祖父江孝男先生が、文化人類学の新しい傾向についての教科書を作っていらしたのですが、それより前に私は学会発表で、「病気の社会的文化的意味づけ」という発表をしていたんですね。会津の調査地でドスマケや肺病マケと呼ばれる家筋が固定化され結婚差別の対象となっていくプロセスと、らい予防法や結核予防法の制定とが一致することを調査していたものですから、「〈医療人類学〉で書ける?」と祖父江先生に言われたのです。

既にその頃はかなり文献は読んでいたので、読んだものをまとめたいという気持ちもあったんですね。それにこれが宣伝になって、医療人類学をやる若い人が出てくるかなという期待もありました。それが至文堂の『現代の文化人類学』（一九八二年）のなかの「医療人類学」です。

するとおもしろいことに、一番最初に反応があったのは、現場の医師だったのです。彼らから手紙が来ました。

小田　人類学者からの反応は？

波平　積極的な評価は、祖父江先生と、現在医療人類学の分野で活躍しておられる、後にホンジュラスで医療人類学の本格的調査を行うようになった池田光穂さんと松岡悦子さん以外にはなかったですね。

現場の切実さを共有する

小田　アメリカで「応用人類学」や「実践人類学」が普及しているのに比べると、日本文化人類学では現実的な問題と関わることへの消極的な姿勢が強いように感じます。波平さんが医療人類学に取り組みはじめたときに「手を出すな」とか「ヤバい」などという制止が仲間内からあったように。私は現在「平和」というテーマに対して人類学的に取り組んでいますが、そのときにもやはり「人類学者が〝平和〟なんていうのは〝ヤバい〟」と言われることがあります。しかし、自己目的化した相対主義に基づく自己規制は、結局のところ文化人類学の力を削ぎ、可能性を狭めることにつながってしまうと思っています。そんな学問の「タコ壺化」の傾向を押しのけて、現実的問題にコミットする人類学を切り拓いてこられたところに波平さんのお仕事の大きな意義があるのではないでしょうか。

波平 それは後からも述べるように、文化人類学を学ぶなかで、そうせざるを得なくなったのと、調査地の方々の戦時中の体験についての語りから現実問題にコミットすることへの欲求が強くなりました。

小田 医療現場の人たちは、目の前の切迫した問題に直面しています。その問題を共有しながらものを言うのか、それともそれを回避して人類学的な知の紹介をするのか。そのどちらの姿勢を取るかで、現場の人々に響き、活かされる言葉となるかどうかが分かれると思います。波平さんは、脳死臓器移植に関して賛成／反対の立場を取ることなく、しかし現場の人々が直面している問題をしっかり共有された。だからこそその言葉が受け入れられたのでしょう。このときに現場の医療者から出てきた、波平さんは「言葉を与えてくれた」という評価は、人類学の社会的活用にとどまらず、質的研究の知の価値にも関わる重要なポイントに触れていると感じます。私はそれを、「質的研究は社会に概念的資源を提供する役割がある」と表現したいです。すなわち、現場で生きている人たちがうすうす気づいているのだけど、言語化していない点を「言い当てる」という役割ですね。

一生懸命聞く、しっかり裏も取る

波平　私の臓器移植問題との関わりで重要だったのは、インフォーマント（この場合は医療者）の声でした。結局、脳死臓器移植に関わる発言というのは、医療者の側から研究会に来てくれ、学会で話してくれと、どんどん接触してくるわけですね。その場合に、私はどんな人がオーディエンスなのか知りたいし、どういう意図で頼んできたか知りたくて、その学会の理事とか、研究部長とか、そういう人とインタビューしないと、引き受けなかったんです。それを条件にして引き受けて、その人たちにインタビューをして、どういう状態に今学会があって、医療機関はどういう状態で、あなたがたはどういう状態で……と、結局、調査を始めたんですね。そこで出てくるデータ、彼らが語る内容というのは、村落の人たちも非常に現実味を帯びた話をしますけれども、それとまた異質の現実味を帯びたものなんですね。現実味は非常に高く内容も具体的なだけではなく、自分の意見が明確なわけです。

そしてその推進派だろうと、反対派だろうと、とにかく私たちのこの現状を知ってもらいたい、と言う。農山漁村では調査者である私が聞けば答える、でも自分たちのことを私に知ってもらいたいから語るわけではないわけです。でも、医療関係の人たちは、知ってもらいたくて語るわけですよね。それは、語りの質が違うわけです。それには偏りもあるし、もしかしたらガセネタもあると考えていました。

そこでやはり、可能なかぎり裏を取るということに関しては手を抜かなかったんですね。

つまり、医療の人々の語ることを一生懸命聞く、ただし、あとで必ずそれはほかの分野で、それにはどのような背景があるのかを見る。異なる立場の人々にも聞く、学会誌をちょっとのぞいてみて、本当にそうなってるかどうか、確かめてみる。当時は全国紙もブロック紙もなかには地方紙でさえ、脳死臓器移植問題の専従の記者がいました。そうした人たちが頻繁に接触してきましたから、自分が得ているデータをモニターするうえでとても都合がよかったです。

それはフィールドワークなんですけど、フィールドワークの仕方が変わったと思うんですね。そうしたなかで、やはりその分析方法も次第に変わったでしょうし、インタビューの仕方も違ってきたと思います。

小田　人類学がよく調査対象としてきたのは山村や離島のような比較的小規模の社会でした。そして、その対象をある程度閉じた社会と仮定して、その社会構造や文化を「全体として」明らかにすることが目指されました。こうした「機能主義的アプローチ」とか「ホリスティック・アプローチ」と呼ばれるアプローチは、波平さんが新たに関わることになった現代日本の医療界には、なかなか通用しなかったのではないでしょうか。

波平　その通りです。それで、私が採ったのは、まず医学会全体の関係図を知ることだったんです。

たとえば医学会総会に行ってみます。同じ医学系の学会のなかでも、いろいろな領域がありますから全国規模の学会にかなり臨時会員として出席しました。プログラムを見て、自分が分かりそうなところを聞くですとか、学会誌を見るとか、医学・医療関係の一般誌・紙を定期購読していました。今でも『医学界新聞』は必ず読んでいます。

臓器移植関係を中心として、医学の世界の相関図を描いてみたんですね。また、移植と一口に言っても、心臓移植を目指す人たちと肝移植、これまで長い蓄積のある腎臓移植とあるいはドーネイションの条件の異なる骨髄移植とでは、実施するうえでの必要条件が違うのです。だから準備しなければならない状況も違います。日本移植学会というのはあるのですが、それぞれの部会によって、社会全体に対してこうしてもらいたい、ああしてもらいたいという内容が、違うわけですね。こうしたことを、部外者としての限界を感じつつも調査したのです。

小田　ホリスティック・アプローチを、日本の医学会にも応用した。

波平　応用しました。

やはりそういうときそれまでのフィールドワークの経験が役に立つんです。どの人がキーパーソンかというのは、自分がまったく医療関係者でなくても、すぐ分かります。そのキーパーソンのところに行けば、俯瞰的なデータが集まる。あとはその人の紹介で、雪だるま式にインタビューをしてゆく。

小田　村落調査と一緒のやり方ですね。

波平　まったく同じやり方なんです。その場合にやはり村落調査の場合は、利害関係が間接的にしか表現されません、人々はずっと住みつづけるわけだから。だけど、医学の世界というのは、はるかに短い期間で成立している関係ですから、その関係性は端的に表現され、分かりやすいです。

小田　波平さんにとっての医療界は、やはりユニークなフィールドであったと思います。つまり、インフォーマント（調査対象者）とオーディエンス（調査結果の受け手）とが重なり合うようなものだったからです。こうしたフィールドは人類学のなかでも珍しいと思うんですが、ご自分のお仕事と比較できるようなことをやっているほかの人類学者はいますか。この人は近いところで仕事をしているという、つまり、こういう新しいタイプのフィィールドに取り組んでいるとか、海外に目を向けてもいいんですけれども。

波平　マーガレット・ロックさん〔カナダのマクギル大学で医療人類学の研究と教育を行うイギリス出身の文化人類学者。長年日本で調査を行い、更年期障害や臓器移植、伝統医療を研究テーマとしている。著書に『脳死と臓器移植の医療人類学』（みすず書房）など〕が一番近いかも分かりません。

小田　ロックは、カナダに在住の文化人類学者ですね。現代的な事象に、人類学的アプローチでもって挑む姿勢は共通していますね。

実践の人類学に対する覚悟

切実な現実と関わる知

波平　私のなかに二人先生がいるとしたら、クライド・クラックホーン（アメリカの人類学者。イギリスで学びまたドイツの文化研究にも精通し、文化相対主義の立場に立って、クローバーと共に文化人類学でそれまでに論じられた「文化」の概念を一九五二年にまとめた）――一度も会ったことないんですけど――と吉田禎吾先生なんです。クラックホーンの他の著作には何にも感銘しないいし、今、改めて読む気もしないいんですけど、『ミラー・フォー・マン』（光延明洋訳『人間のための鏡――アメリカの文化人類学の世界的権威による古典的名著』サイマル出版会、一九七一、外山滋比古訳『文化人類学の世界――人間の鏡』講談社現代新書、一九七一）は私にとっての先生なんですね。

あの本が書かれた時代のアメリカの思想弾圧のことをほとんど日本人は知りません。でも、「マッカーシー旋風」と呼ばれた、冷戦構造のなかで生まれた、アメリカにおける自由な思想や活動に対する弾圧が吹き荒れたなかであの本を書いたクラックホーンは、緊迫感のある、人類学ってこういう役割を果たすこともできるという例があそこに記されてると思うんですね。

当時のアメリカでは、根拠がなくても、少しでも左翼的というか、一九五〇年代当時のアメリカを批判的に論じたり、相対化するような論文でもやり玉に挙げ、批判しました。それは文化人類学だけではなく、あらゆる分野で。あのマッカーシー旋風の怖さというのは、いつ背中からやられるか分からない怖さです。この本のなかでクラックホーンは黒人差別のことを書いているのですが、でもあの書かれた時代の状況を考えたら、あれだけアメリカ社会の差別の構造を批判的に書くということは、相当危ないことだったと思うんです。

ただし、クラックホーンがマッカーシー旋風のなかで個人的にどのような行動をとったのかは、私には分かりません。

小田　それと、脳死臓器移植の頃のアクチュアルな問題に取り組むということと……。

波平　どこかでイメージとしてつながっています。それは、非常に緊張を強いられる何年間かでした。つまり、常に自分が念頭に置いて書いたり発言する対象が三つあるわけです。移植を待ってる患者さんや家族のグループ、移植を推進したい、しなければならないという使命感を持つ医療の人たち、それとやはり、梅原さんをはじめとする日本文化論を論じる人たち。「日本文化論」こそが、最大の手強い相手なんです。

アメリカの人類学者というのは、大学でのポストというものが社会で期待されている役割や研究費の出所が日本と大きく異なっているので、それ故ということもできるのですが、その時々のアクチュアルな問題に常に関わっていたいという欲求があるように思われます。私がアメリカにいた一九六八年から一九七一年というのはベトナム戦争のときでした。「コア・コース」という複数の教員が担当する授業の最中に先生同士が「あの平定作戦を立案した○○を君は支持するというのか」といったような激論を学生の前でするですとか、教師が人類学者の戦争責任といったことを授業やゼミのなかで話していました。

そういう場面がやはりどこか記憶にあって、自分も何か緊迫したなかで人類学をやりたいという気持ちがどこかにあったと、今になると思います。それが、脳死臓器移植の議論に何年間も関わる気持ちを支えたかなと思いますけど。

――もう方法論いろいろでは言えませんね。

第6章

アブダクティブな発想は大きな学問的発展をもたらす。

質的研究が行われなければ、学問研究の大きな発展は閉ざされるとさえ言える。なぜなら、質的研究の基本的理論である「アブダクション」は常に新たな視点と方法とを示すからである。アブダクティブな視点からの多様な質的研究は、新たな世界を拓いて見せてくれる。

質的研究とアブダクション

手元のデータで新たに言えることはないか

波平　私の研究というのは「手持ちのデータのなかでさらに、新たに何か言えるものがないか」、つまり、まったく研究課題にしていないものがないか、それを探し出して、研究を組み替えていく、ということのくりかえしなんですね。

ところで、私の研究のなかでの村落調査の持つ位置づけとは、「関係性を見極める」ということの勘を鈍らせないためといってもいいでしょう。村落調査のなかで非常に詳細な多方面のデータが集まるわけですね。たとえば、人間というのはなぜ威信を大切にするか、どのようにそれを維持しているのかということを分析します。それは医療の世界でもそうなのです。村落調査で得た結果分析は、応用できるわけですね。

社会的な環境が違っていても、それを越えて、人間の行動を規定しているものを見つけ出す、それを検証するためのものとして村落調査がある、というふうに考えています。

小田　波平さんが日本の村落に向けるまなざしと、医学界に向けるまなざしとが同じであることがおもしろいです。それは医学界内部の人にとっては非常に珍しい経験でしょうね（笑）。人類学のなかでも、小規模の閉じたコミュニティから都市研究へ、といったことを調査対象を切り替えるというイメージで言いますが、波平さんは人間の行動や分類の仕方を規定するものを明らかにするという問いを、村落であれ現代の医療界であれ向けたということですね。その点で、「古びた」と見なされがちな機能主義的なアプローチの今日的有効性を気づかせていただいたように思い、新鮮に感じます。

波平　確かに、有効なんです。

一つは、どんなに社会環境や経済的な関係が変わっても、権力の配分、資源の配分、それから人が人に対して自分の権力というものを相手にどう見せるか、というものには、それほど違いはないというのが私の結論なんですね。

ただ、それぞれの人々の生存の場にある材料の何を使うか、たとえば、ポトラッチ（北米インディアンの間でかつて見られた贈物競争）の場合はこういう使い方をする、医療の人たちはこういう使い方をする、大学の教員はこういう使い方をする……材料があまりにも違うので、まるで違うように見えるけれども、行動パターンは同じ。

そういう意味では、村落社会よりは、医療の世界のほうがきわめて単純です。医療の人たちのほうが行為の目的は明確であり「対患者」というものがありますから、より自分たちが置かれている環境がシビアである、したがって関係性はむしろ単純で鮮明に表現されます。ですから、関係を読み取るのは簡単です。

小田　それは現代の人類学者にとっても示唆的ですよね。村落調査は古いという見方が多くなってきていますからね。

波平　村落調査で「何を見るか」が重要です。ある時点での土地所有だけを見るとか、時間経過の要素は入ってくるけれども、親族関係だけとかを見ていても、その重要性は分からない。そういう断片的な調査研究では、そこまでの応用がきかないんですよね。

人間は変わらない、ただし多様な表れ方をする

波平　より詳しく説明すると、たとえば、村落のなかで、怨念的対立があることを見出すことがよくあります。

日本の村落のなかで、どれほど家と家の間の怨念が続くか、その怨念を〝ただ〟抱きつづけていても村落のなかでは批判されるわけです。怨念を抱きつづけるには個人的な情念のレベルに留まらず、まわりの承認がいるんですね。

医療裁判でも同じなんです。医療過誤の裁判に関わったことがあるのですが、どうすれば裁判を有利にできるかという相談もあれば、どうすれば医療過誤の裁判から逃れられるか、という相談もある——医療者側と患者側の双方からあるわけです。人が怨念を抱くことはよくあるわけですが、それを表だった闘いにまでするとき、どんなファクターがそこに加わるか、というのはある程度予想がつくわけです。誰がサポートするか、承認するか、当事者をサポートしやすい環境はどんなものであるか。

小田　人間て変わらないもんだ、と。

波平　小田さんが取り組んでおられるお仕事に「平和研究」というのがありますが、

そのことに引き寄せて民族紛争についての例で考えてみましょう。「民族紛争」と一括して言いますけど、この紛争の発端というのは、「あの家の誰がこれこれの状況で殺された」ですからね。それが何十年も忘れられずに、引き算でなしに足し算になっているわけですから。その引き算をさせないものがあるときには紛争解決は簡単ではないですよね。

変わらないもんだ、ただし、多様な表れ方をする、というのが、基本的な私の結論なんです。文化人類学は共通・普遍と多様性の双方を併行して見ることができてはじめて、他の領域ができない研究をすることができると考えています。

どんな小さな研究にも、そのなかに世界が入っている

小田　波平さんの村落社会に向けるまなざしとか、事例の扱い方は、ライプニッツのモナドのように、小さい単位のなかに大きい世界が含まれている、というまなざしのように思えますが、いかがでしょうか。

波平　そうかもしれません。

小田　その認識論と、部分を一つひとつ組み合わせていって全体に至るという線型の考え方はかなり違います。部分のなかに全体が含まれているという認識の仕方が波平さんのベースにはあり、そのためにデータ、事例が重要になってくるということなのでしょうね。

――小田さんは、波平さんの人類学を日本発の応用人類学だとおっしゃいますが、それは日本発という以前に、「手元のデータをくりかえし活かす」という波平さんの姿勢が徹底されたところから出発しているのですね。

そして若い学生のどんな小さな調査・研究にも、そのなかに世界が入っている。だから目の前のデータに真摯に関わってごらん、今自分の手元にあるデータをもっとよく見てごらん、そういう励ましが伝わってきます。

ひらめきの知、アブダクション

小田　アメリカの大学へ提出する博士論文を書くという流れのなかで、「ケガレ」というテーマが浮かび上がってきたとのことでした。そして、それは『定本 柳田國男集』を読むことと重なりながらだったと。その経緯をもう少し詳しくお話いただけますか。

波平　『定本 柳田國男集』がどんなふうに私において働いたかというと、今考えても興味深いものです。柳田の書いたものには日本を研究するうえではすごい数のテーマがちりばめられていますよね。幸いなことに、アメリカで柳田の著作に接したとき、私は民俗学のことを知りませんから、民俗学の人たちが柳田國男が提示したテーマのどこをとってどういうふうにその後発展させたかというのは、後になって知ったんですけれども、そのときは何も知らない。

そうすると、虚心坦懐に読むことができました。おもしろいことに、柳田國男はケガレについて明確には論じていないんですね。ですけど、それに関わる民俗データについてはいっぱい書いているんです。

小田　柳田の意識した研究テーマではないんだけど、潜在的、深層テーマとしてはあったということでしょうか。

波平　そうですね。柳田はハレのことをたくさん書いているんです。著作集を読み進むなかで、「ハレ」というのは、「ケガレ」がないと成立しない概念だということに思いあたったんですね。ただし、それは二四巻まで読まないと、分からなかったんです。

小田　そのご経験は、個々のデータからいかにそのデータを説明する枠組みを見出すのかということにも通じると思います。

波平さんの場合は壱岐の調査、それと『柳田國男集』を読んでいくというところから、「ケガレ」という概念を使うとそれまでのデータを使ってひとつの結論が得られ、多くの現象を説明できると気づかれた。日本の民俗社会で使われている〈現場概念としての「ケガレ」〉を、事象を説明するための〈分析概念としての「ケガレ」〉へと変換された。ここがたいへん新しかった。そこにはある種の「飛躍」があります。この「飛躍」を可能にする思考の仕方をアメリカの哲学者チャールズ・パースは「アブダクション」と名づけました。波平さんがご自身の思考のプロセスを振り返ってみられるとどうなるのか、興味があります。

根拠がなくても、「そう思える」こと

波平　それはこういうことかもしれません。

赤不浄と黒不浄――これは壱岐の人たちは日常に使う表現ですね。「死のケガレ」は「黒不浄」、「女性の生殖機能のケガレ」は「赤不浄」と使い分けていました。このように分類するんだけれども、同時に両方については、「ケガレがかかる」という言い方をするんですね。ですからそれ全体については、「ケガレ」という表現でまとめる概念をその人たちが持っているんです。

ところが民俗学の世界ではその当時、そして、私が日本民族学会〈現・日本文

化人類学会）で一九七三年に口頭発表し、一九七四年、一九七六年、一九七八年と二年おきに学会機関誌の『民族学研究』（現・『文化人類学』）にケガレについて論文を投稿した後も「死のケガレと生殖のケガレは違う」と何人もの研究者が主張しているんです。しかし、私は批判されても上位概念として「ケガレ」は成立するとしか考えられなかった。そこから概念化が始まったと思います。

小田　事実と現象のレベルでは違うんだけれども、その裏にある論理としては、ケガレとして共通・通底するものがあると考えたんですね。

波平　そうです。だから少なくとも壱岐の人たちにとってはそれは「フォーク概念」ですけど、同時に私が分析概念としてもそのまま使うこともできると考えました。ところがフォークロアの研究者たちは、両者を絶対的に違うものと考えているわけですね。

小田　なるほど。それは、民俗学者の側の知のバイアスというか、理論拘束性だと思うんですけど、それだけ頭が固まっているということですね。

具体的な事実を説明しうる概念の枠組みを作る思考をアブダクションと言いますが、私は波平さんの思考の進め方には、先ほど述べたようにアブダクティブな面があると思います。ＫＪ法で有名な川喜多二郎氏が一九六七年の著書（『発想法』中公新書）で、アブダクションは「発想法」に当たるものだと述べて、その意義を強調していることも付け加えておきたいと思います。

波平　小田さんに勧められて読んだ米盛裕二の『アブダクション――仮説と発見』には、質的研究の方法論を考えるうえで、そして私自身がそれほど認識が明確でないままに使っていた分析の方法を改めて考えるうえで、示唆的な記述が数多くありました。

小田　やはりそうでしたか。

問いの発見「なぜリンゴは木から落ちたのか」

波平　米盛氏は『アブダクション』で、アメリカの論理学者であり科学哲学者である、チャールズ・パース（一八三九〜一九一四）の議論を大変わかりやすく説明しています。パースのいう「アブダクション」を、「演繹」（ディダクション）と「帰納」（インダクション）に加えて、科学的論理的思考だと言うのですね。日本語では「仮説形成、発想法、仮説的推論」と訳出されていますが、これだけですと、ぴんと来ない人も多そうです。

小田　アブダクションについて、米盛氏はニュートンのリンゴの例を引いて説明しています。ニュートンがリンゴが木から落ちるのを見て「万有引力」の理論をひらめいたという逸話は有名です。これはまさにアブダクションの例です。

帰納法は、具体的な事実の観察を積み重ねて、一般的な法則に至る推論の仕方ですね。その場合、リンゴが木から落ちるという特殊な現象をいくら観察していっても、「リンゴは木から落ちる」という一般的な結論しか導けない。しかし、ニュートンは「なぜリンゴは木から落ちたのか?」「それをどう説明したらいいのか?」と疑問に感じた。リンゴが木から落ちるというささいな現象に驚きと問いを見出したのです。ニュートンの天才は、まずそこに発揮された。

そしてそこからどうしてリンゴが木から落ちるのかを説明する理論枠組みを生み出す思考が展開していきます。これがアブダクションです。「万有引力」という理論的概念は、凡人が何千回・何万回リンゴが木から落ちるシーンを観察しようと思いつかないものです。そこには現象のレベルからの「飛躍」、「ひらめき」があるのですね。

量的研究は演繹的であるのに対し、質的研究は帰納的だとよく言われます。しかし、アブダクションはそのどちらでもない第三の推論様式なのです。事実のレベルから理論のレベルへの「ひらめき」に特徴があると思います。そして近年の質的研究の分野ではこのアブダクションに脚光が当てられるようになっています。

波平　本書の冒頭で議論したような、質的研究は問いに答えるだけではなく、問題を発見するところに大きな特徴があるのですから、質的研究において最も重要な思考はアブダクションということになるのでしょうね。

小田　そうだと思います。

波平　量的研究は、ある仮説から出発し、それを検証することを目指しますから演繹的といえます。それに対し、質的研究での帰納とアブダクションの関係はどうなるのでしょうか。

小田　事実の観察を積み重ねて一般化をするという点で、質的研究は帰納的な側面があります。しかしこれと共に、事実のレベルとは違う理論を生成するためにアブダクションは欠かせないものです。

波平　米盛氏はパースの議論を説明し、アブダクションは新しい知識を獲得するという重要な成果を上げ、知識を拡張するうえでの「推論」の機能を持つ、といいますね。ただし、アブダクションが行う（もたらす）推理は、演繹法はもちろん、帰納法に比べてもその推論、仮説が論理学的には間違っている可能性は高くなるといいます。

小田　その限界をわきまえることも大切ですね。

波平　質的研究に対する、量的研究を専ら行う人々が抱く「不信感」がどこから生じるのかが、よく分かります。

アブダクションの概念およびその論理上の特徴を理解すれば、量的研究の立場からの質的研究への批判・攻撃に、どう論理的に立ち向かうことができるのか、学生たちを指導することもできます。

小田　そうですね。

大切なのは問題にふさわしい推論方法かどうか

波平　また、量的研究と質的研究は、対立するものではなく、新たな知識を獲得するうえで、相互補完的な関係にあることを、論理的に示すこともできます。

小田　どの推論様式が上かではなく、「ある問題にフィットする推論様式かどうか」が大切なのでしょう。

波平　人間の複雑で多様な心理や行動を研究対象とするはずの看護学の質的研究が、きわめて似通った数多くの論文を量産している理由が、米盛氏の『アブダクション』に拠るとよく分かります。

つまり、米盛氏は、「帰納」という論理が、「仮説や理論を実験的に検証するとともに、さらに自らの実験的検証の手続きそのものに誤りがないかどうかを、いわば自己点検し自己監視する（self-monitoring）思惟でもあります。つまり帰納は、自己規制的（self-regulative）、自己修正的（self-corrective）過程なのです」（13ページ）と言います。質的研究を帰納法に還元して理解することの限界がここでは指摘されていると言えます。帰納法の枠のなかでは、具体的なデータから飛躍して、自由に発想する余地がないのですから。

あまりに自己規制的であるために、新しい発見、新しい議論に恐怖さえ抱いているのではないかと思うこともあります。

小田　創造的な発見を自己規制して避けているとすれば問題ですね。

驚きから創造へ〈仮説形成的推論＝アブダクション〉

波平　先ほど小田さんが、ニュートンがリンゴが落ちるのを見て万有引力を発見した例を挙げてアブダクションについて説明してくれましたが、確かに、他の人が「驚き」そして「問い」を抱かないことに対して、ニュートンは「驚き」と「疑念」を抱き、それを解決するためにさまざまな諸仮説を導き出し、ついには、万有引力の原理という偉大な仮説を確立したのですね。米盛氏はこの例を挙げ、この発見過程を特色づけるものこそ、アブダクションと言っていますね。

小田　文化人類学とアブダクションとの関係はどうでしょうか。

波平　すると、文化人類学は、そのほとんどの思考と理論は、アブダクションの成果と言うことさえできるのではないでしょうか。

たとえば「文化の構造」も「文化の解釈」も。親族の系譜でさえも、アブダクティブな推論の成果と言えましょう。

小田　そうでしょうね。フィールドで事実をいくら観察しても、そこには「文化」も「構造」も見つかりません。そうした人類学的な概念や理論枠組みは、フィールドでの観察を説明するためにボアズ、レヴィ＝ストロース、ギアツといった人類学者たちがひらめいた「仮説」すなわち、アブダクティブな思考の産物と捉えることができます。実際の人類学の研究では、既成の理論をデータに適用したり（つまり演繹）、具体的なデータの積み重ねから一般化したり（つまり帰納）して、さまざまな推論の様式を併用していると思います。しかしある理論の出発点にはつねにアブダクティブな推論があるのでしょう。

アブダクションと質的研究

データから仮説が生まれる

波平　米盛氏は、パースの議論を要約し、「帰納は観察データに基づいて一般化を行う推論であり、これに対し、アブダクションは観察データを説明するための仮説を形成する推論」（84―85ページ）と言っています。
質的研究は、アブダクションを用いたときに、より一層その効力を発揮します。そして、文化人類学の理論は、まさに、アブダクションの産物と言ってよいでしょう。

「文化」は、万有引力のように、見ることも触れることもできません。しかし、万有引力が存在する（働いていること）という仮説を用いれば、すべての地球上の物体は、支えられなければ落下するという観察データを説明することができるように、「文化」がある特定集団の人々によって担われている、しかも、それは極めて微妙で精緻なレース編みの作品のように、ひとつのまとまりを持った存在で、部分は全体に関わり合っていて、全体はまた、部分を形づくる（一本のレース糸から複雑なパターンができあがっているように）ようなものである、とするならば、ある時代のある集団の人々の言動が、ひとつの傾向を示すという「驚くべき事実」を説明することの「仮説」ということができるのではないでしょうか。

小田　人類学者の語る「文化」はまさに「仮説」ですね。

波平　一般的な「文化論」と文化人類学の大きな違いは、どちらもアブダクション（推論）を使ってはいますが、文化人類学は、いったん考えだした推論を、「それ以外に説明のしようがない」と自らも他の人も納得できるほど、多くのデータと照合し、検証する手続きを、「手を抜かずに」踏みます。

アブダクションは、米盛氏の概説によれば、帰納的飛躍（inductive leap）に対して「仮説的飛躍」（abductive leap）を行うのですが、それは、「われわれが直接観察したものとは違う種類の何ものか、そしてわれわれにとってしばしば直接には観察不可能な何ものかを仮定する」（91―92ページ）のであり、そこは、一般的な「文化論」も「文化人類学」も同じです。

しかし、文化人類学は、人間の思考や行動の結果である制度や組織、物品等々を、推論をたてるうえで、数多く参照します。

文化論のある種のものとの重要な違いは、文化人類学では、多くの議論の積み重ねから、ある行為とある制度、ある思考とある物品との関係についての定説となっている議論があり、分析者は必ずそれを参照しなければなりません。決して分析者の思いつきや芸術家の独創ではないということです。また、そうであってもならないでしょう。

手間暇をかけること

小田　普遍性を求めると、逆に普遍性がなくなっていくのかもしれません。

非常に個別的なものを自分の特殊な状況に応用していくと逆説的に普遍性が出てくることがある。「これが万能だ」というものは逆に使いものにならない。

普遍性をうたう方法論がかえって現実をとらえる妨げになっているということがある一方で、むしろ徹底的にパーソナルで個別なものが、本当に役に立つのかもしれないという気がするんです。

波平　ところで、アブダクションにノウハウがあるのでしょうか。

小田　こうすればいいというマニュアル的なノウハウはないのではないでしょうか。

ただ、やり方は学ぶことはできる。

ニュートンのリンゴの事例からは、問いの見出し方、眼のつけ方を学ぶことができるでしょうし、そこから推論の仕方を学ぶこともできます。

波平　そうですよね。

小田　普通の人は「ああ、落ちた」ぐらいにしか思いもせずに見逃してしまうことに問いを見出したということ。その問いをどう説明できるんだろうというところから、アブダクティブな――すなわち仮説発見のプロセスが始まるんですけども、だからアブダクティブな問いの発見がまずあって、そこから推論がある。では「問いを見つける」ということがやはり必要なんだということを学べば、そういう「眼」が必要だと気づきます。何というのか、「コツ」というべきものは明らかにあると思うんですね。

アブダクションに基づく質的データ分析の場合、最終的な理論に結びつくという保証はどこにもないわけですから、そこにジャンプというか飛躍があるはずです。その点を言語化して教え切るということは難しいことで、グラウンデッド・セオリーの教科書を読んでも、ストラウスとかグレイザーのような理論形成はできないでしょうね。私は「実例から学ぶ」という道に、可能性があると思っています。そこで波平さんが「ケガレ」の理論を着想されたプロセスから改めて学びたいと思います。

波平　私は、ニュートンはリンゴが落ちる現象に対して疑問を発する前にもいろんなことにたいして別の問いはいっぱい発していたと思うんですね。特に印象的だった状況が物語化されたのではないかと思うんですけど。

私も壱岐の勝本浦の、なぜここまで徹底してケガレがかからないようにするのかという問いは、見ていて自然に出てきたということもあるんですけど、やはりデータをくりかえしくりかえし見ているうちに疑問が強くなりました。だから、データをくりかえし見るということは、やはり重要なんだと思うんです。そのデータに書いてないということにも気がつくわけです。だから、『定本 柳田國男集』も二四巻まで読んで初めて、ハレについてはいっぱい書いてるけどケガレについては書いてないというふうに気づくわけです。

小田 そうか。書かれていることに気づいたんじゃなくて、書いていないことに気づく。

波平 書いていないことに気づいたわけです。だから、書いてることに気づくのは、百あるうちの三読めば分かるわけです。書いてないことに気づくには、やはり三〇とか四〇とか読まないと、気がつかない。

小田 なるほど。おもしろいですね。

波平 恐らく徹底した調査とか、くりかえしの調査とか、しかも調査のデータをくりかえし読むというプロセスがないと、それまで人が見てない何かを見ようという気にはならない。「手間暇がかかる」ということです。

「文化」の概念と文化人類学の守備範囲

小田　「文化」という概念について、ちょっとお話を伺いたいと思っているんです。その、十把一絡げ的な文化概念と、先生が研究者の立場として使われる文化とはどういうふうに違いますか。

波平　脳死臓器移植問題のような社会を二分する議論において、「文化」の内容の違いを明確にする必要は高いです。しかし、それは容易ではないと考えます。

私が編集し医学書院から出している『文化人類学（第二版）』（二〇〇二年）の教科書のなかで、「文化」について論じている第一章を執筆してくれた青木恵理子さんが、いわゆる〝高尚な〟文化ではなく日常生活のなかにもある文化が文化人類学でいう「文化」であるという言い方で分けていますが、こういう説明は理解されやすく、よく使われる説明です。

ですけれども、梅原さん流の「文化」と文化人類学の「文化」の違いを人々に分かってもらうことはそれほどやさしくはないと思うんです。比較文化論といったかたちで既に学問の世界にも大学教育のなかにも入り込んでいる「文化」という概念と、文化人類学の「文化」とは異なるものであることを明確に理解してもらうにはどうすればいいのだろうか——私もまだはっきりした結論はないのですが。

小田　文化人類学のなかでも「文化に抗して書く」（パレスチナ系の政治学者を父にもつアメリカの人類学者ライラ・アブー＝ルゴドは同名の論文で、従来の人類学が均質で、閉鎖的で、無時間的な文化概念を前提としてきたと批判した）という立場もあるくらいですから、「文化」概念を明確に説明するのは難しいですね。しかし、「文化」を「仮説」として捉えるなら、一元的な文化の定義はないということになります。恐らく、研究者が事象を説明するためにどれだけ適しているか、という基準で「文化」の定義を柔軟に考えてもよいのではないでしょうか。

「文化」、発見のための視座

波平　文化は多面的な具体性を持って、なおかつ多面的な領域で変化を伴いながら、しかも、人々に何か一貫したもの、関連性のあるものとして印象づけられる。それがために、千年飛躍しても、なにか同じものが連綿と続いているような印象を与える。しかしながら、私たちが生きている現実のなかでは、私たちの行動を規範づけ、その時々の決定をするものは、今の状況のなかで関連性を持ったものである。文化人類学が扱う「文化」は「きわめて具体的である」と考えます。具体的な言葉や具体的な行動や現象として、必ず把握されるようなものだと思ってるんですけど。

小田　具体的な観察のなかでパターンが見えてくる、それを仮に「文化」というふうにとらえてみると、うまく説明できるんではないかという気がします。やはり「仮説」として「文化」を考えるということになります。

波平　「仮説としての文化」ですね。

小田　実体ではなくて、そう見るとよく説明できるという仮説でしかないものが往々にして実体として取り違えられるので、混乱を招くのでしょうね。

波平　「仮説としての文化」ということで言うと、文化人類学の理論そのものが広い意味での仮説なんですね。すべて仮説であるという前提に立って、その仮説を検証しながら、仮説がくつがえされ否定されたら、それをもとに、より厳密な次の仮説を立てる。こうしたくりかえしによって理論がそして学問全体が成熟していく。だから仮説が破られないかぎりは、その仮説は有効であるとも言えると考えます。

「アブダクション」について見てきましたが、文化人類学を特徴づける思考は「仮説生成」の連続です。ただし、その議論の材料は具体的行為や語りであるということでしょうか。

小田　その際に「文化」の境界の問題があるように思います。多くの場合には、文化は国家や民族集団とその境界が一致するように語られます。「日本文化」であるとか、「アメリカ文化」であるとか、「ドイツ文化」であるといったように、ある国民／民族の中で閉じたものと見なされがちなわけです。さらにそのようにいうときの「文化」が往々にして、均質で、一枚岩的で、静態的な見方に陥りがちで、多様性や変化が説明できないという問題もあります。

それに対して最近の人類学のなかでは、そうした文化観が批判にさらされていますね。先ほど挙げた「文化に抗して書く」という考え方はその一例ですし、ハイブリディティー（異種混淆性）という概念は、均質な文化観に対するアンチテーゼです。そういう動きに対しては、先生はどんなスタンスですか。

波平　文化のハイブリッドっていう場合に、「具体的に何を指してるだろうか」と大変いぶかしく思うんですね。それはたとえば、アメリカで「ユダヤ人はトランスナショナルな人々だ」って言うと、アメリカ国籍を持ったユダヤの人の多くは違和感を持つでしょう。彼らは自分たちはアメリカ人だというでしょう。そうすると、それらの言葉の意味するものは文化人類学でいうところの「文化」の問題ではないのではないか。

小田　文化人類学的に焦点を当てられる範囲というのが、ある程度制限がある、限定しているわけですね。

波平　そう考えます。文化人類学が「文化」あるいは「文化的なもの」のすべてを説明できるのではないと考えるようになってきています。あたかもすべてを説明できるかのように文化人類学者が考えたために、文化人類学の議論は分かりにくくなり、結果的に学問の役割が縮小することも考えられます。

小田　この「文化」という概念のもつれを解きほぐすために、その起源に立ち返ってみるとヒントが見つかるかもしれません。文化人類学の創始者フランツ・ボアズ〔ユダヤ系ドイツ人でアメリカに移住し総合的な人類学の確立に貢献。二〇世紀初頭の人種主義的人類学を批判し、生物学的次元に還元されない「文化」の相対性を前提とする文化人類学を発展させた〕は、それまで「文化」が無いと見なされてきた「未開社会」に、環境適応の優れた智恵と技術とを発見しました。そして「文化」の概念を拡大してそれをとらえようとしたのでした。つまりボアズにおいては、「文化」は実体ではなく、やはり「仮説」だったのですね。今日でもボアズのように「文化」を仮説的な、発見のための視座として用いる価値があると思います。環境の制約のなかで、人間がよりよく、主体的に生きようとしてきた工夫と経験の蓄積があります。それを「文化」という概念を窓口として発見するという姿勢です。そうすると、日常、地域社会、職場など、私たちの当たり前の生活の現場にも豊かな「文化」を見出すことができるのではないでしょうか。

しめくくり——個人から国家までを見透すために

いのちの〈現場〉を読みとく

小田　最後におたずねしたいことがあります。

私は「いのちを読みとくこと」が波平さんのご研究の基調となっているのではないかと思うのです。先生のお仕事のタイトルを見ていくと、「生きる力」、「いのちの文化人類学」——このなかでは伝統的な社会の生命観で連続性のあるものとしていのちを捉えている、それに対して物象化された科学的な概念として「生命」という概念を対比させておられたり——それから「暮らし」「からだ」「病」……それをまとめると、やはり、ひろい意味で「いのち」ということになると捉えています。

柳田國男全集から「ケガレ」というテーマが聞こえてくる、ではないですが、私には波平さんの著作のテーマとして「文化」よりもむしろ「いのち」が聞こえてくるのです。これはまったくの勘違いかもしれませんけれども。

英語で「いのち」と重なる言葉は「ライフ」でしょうね。「ライフ」は、人生、生命、暮らし、生活、もろもろを含んだ、人間が生きているという総体を表す言葉です。

「いのち」ないし「ライフ」の具体的な現場に密着しながら個々の事象を読み解いていくということが先生の文化人類学的な仕事のエッセンスではないかと勝手に思っているのですが。

波平　そのように考えていただくこと、とても有り難いですね。「いのち」とは、抽象化されたかたちで見えてはこないと考えています。脳死臓器移植の問題に何年間も関わり続けたのは、この問題が患者さんのいのちとドナーとなる死亡者のいのちとの関係やそれに関わる医療者たちが、「臓器」をめぐって繰り広げる行為や認識、それらを規定する医療の世界の権力の構図、そして国家というものが凝縮されて見えてくるので、研究者として知的レベルでワクワクするし、社会的問題に関わっているという満足感もあったのです。

「私が考える文化人類学」という限定つきなんですが、文化人類学の最大の目的は「生きる」「生存」ということの具体がどのように組み立てられているのかを明らかにし、また「明らかにできた」と考えた内容を一般の人々や他領域の人々に示すことだと考えています。

小田　川田順造（日本の文化人類学者で、特に西アフリカ・モシ王国のエスノグラフィーで知られる）さんは、文化人類学者は最近、象徴的なレベルとしての「文化」ばかり見ていて、「人類／ヒト」のことを忘れているという指摘をしておられます。それはもっともなことだと思います。

それと同様に、文化人類学者は、文化にまつわる議論ばかりしていて、人間が生きているという具体性を忘れているということも言えると思うのです。しかし、波平さんは人が生きている現場に踏みとどまってお仕事をしていらっしゃる。

波平　そのように言っていただくといっそう有り難いです。

文化人類学に何ができるか

波平　私が学生に、「文化人類学って大事な学問ですよ」と言うときに、「社会学は、社会制度や社会集団のありようだとか社会現象を見ます。心理学は、個人の、集団としての個人を見るときもありますが、心理を見ます。では文化人類学は何を見るか。国家から個人までを見ます」という言い方をするんです。国家から個人をつなぐもの、いったい何が具体的に国家は個人をつなげているか、それを一つひとつ異なるレベルごとに詳細に見て、さらに異なるレベルがどのように関連しているのかを見ます。それを見ることのできる学問は文化人類学以外にありません、だから大事なんです、なんて言い方をします。

たとえば、戦前の「国家総動員法」（一九三八年に公布され、それ以降日本におけるすべての資源、資本、労働力の動員、貿易、運輸、通信などあらゆる分野に国家統制を加えることになった法律。太平洋戦争開戦後は適用が拡大され、国民生活を拘束した）が、どういうふうに個人の行動や意識さえも規定していったかということを見ることが文化人類学には可能なんですね。国家総動員法ができたとき、誰もあんなものが本当に動き出すとは思っていなかったんですね。しかし、法が確実に施行されるための制度が次々とできあがり、法に違反した場合の罰則が厳格に適用されるようになると、個人の日常的な行為、それも食べるという生存に直接関わることまでが相互監視の対象になる。さらには、個人の生存に関わる価値意識まで変え、人間関係まで変えてしまうのです。

たとえば、仕事先でコーヒーが出されて、砂糖があるとします。これを今使わずに持ち帰りお湯で溶いて子どもたちにのませてやろうかな、恥ずかしいけどポケットに入れようかなという行動にまで、発展したんですね。

国家の行政レベルで考えたときは、多くの個人は見過ごしてしまう。でもあっという間に、個人の「この砂糖、もらって帰っていいですか」なんて行動まで発展する。日頃は大切にしている「自分らしさ」を表現するための行為規範も変えてしまう。

今程度の物の欠乏状態でたとえば仕事先で出されたコーヒーについてくる砂糖を家に持って帰るのは恥ずかしい、でも来月、どこにもミルクも砂糖もなければ、正々堂々とこれを持って帰れるわけですね。そんなふうに人の日々の行動と判断が、個人のなかでどんなふうに正当化され、それが十人いれば十人同じようなことを行う……ということが、何がファクターとして働いたら、そういうふうになっていくか？　国家は個人に何をするか……？

村落社会のありようが国家総動員法を実体化するうえで、驚異的に有効にはたらいたんですね。「国家総動員法」が執行されていたときの、米や乾燥野菜だけでなく、農作業に欠かせないワラ縄さえも軍からの命令でこれだけの量供出しろと強制的に言われる。そこで村落内で自らの調整で田畑の所有面積や家族規模に応じて供出しました。そうした状況の思い出というのは、私が調査し始めた頃は、頻繁に人々の口から出ていましたから、人々にとって、国家総動員法というのは、いつまでも残る苦しい記憶であり、村落内に何かしらの不一致や不平等な状況が生じると、何十年たってもその当時のことが思い出される、そのくらい辛い体験だったわけです。

その〝間をつなぐもの〟――今日の行為と明日の行為を何が変えるか、個人と個人、家族と家族の関係を何が変えていくか、それを文化人類学の今の理論・分析概念で完全に読み解けると思っています。

ただ、それをやるかどうか、データを集められるか集められないか。人類学が国家論をやろうとしたら、たとえばナチスでもいいのですが、国家総動員法によって、個人のこころから日々の行為まで、自分のからだをどう意識するか、ということまでが決まってくるわけですね。国家総動員法は満腹感まで変えてしまった。どのくらいどんなものを食べたら、今日はたくさん食べた、おいしいものを食べたという感覚を、たかだか数年で変えた、そのすごさなんですよ。それが描ききれるのが文化人類学だと思っているんです。

小田　国家と個人の日々の生活との関係を描くということですね。

読み落としているだけなのかもしれませんが、初期のケガレ、医療人類学の研究にはなかった、ポリティカルな文脈に関する視点が最近の分析というものが、最近の『日本人の死のかたち――伝統儀礼から靖国まで』（朝日選書、二〇〇四年）などではでてきたように思うのですが。

波平　いえ、それは『ケガレ』のときからあります。

小田　そうなのですか。

波平　関心はそれ以前から持っていました。被差別部落の資料の多くが、三一書房から出ているんですが、これはかなり読んでいます。それを読んで、なおかつ『ケガレの構造』や『ケガレ』のなかには、一切政治的なことを入れていません。私にとっては、読んだものを書くというよりは、読んで知っているものをいかに書かないか、ということも重要なことなんですね。

ですから、『定本　柳田國男集』のなかから、ハレは書いているけど、ケガレは書いていない、ということを読み解くという私にとっての基本的な方法は、逆に私のアウトプットのやり方にも反映しています。

国家総動員法は、地縁と親族関係で強く結ばれ、比較的孤立していた新潟のある村落の家族と家族、同族団と同族団、組と組との、それまでに成立していた関係を基盤として充分な実効を挙げました。そして、その結果、多くの人が生きていくうえでのこれら重要な関係をズタズタに傷つけられたのです。

それを修復するため人々は長年苦闘していたことが、語りから明らかです。私は、新潟の調査を一九八〇年に始めたときに関心を持つようになりました。ですから、二十年以上国家総動員法は断続的ですけど調べています。でも、まだ書いていません。しかし、ここで調べたことは、文化人類学に何ができるか、何をしなければならないかを、いつも私に思い出させてくれます。

小田 書かれていないものを聞き取るという読み方ですね。

波平 ただ、書いてないものまでしゃべるというのは、本来研究者としておかしいんですよ。書いたものがすべてですから……

本論で登場した主な著作から本書と関わりの深い七冊の解説をお願いした。（編）

▼1984

ケガレの構造

青土社

一九八四年初版。その後、一九八八年と一九九二年に新装版として再刊行される。

日本の民間信仰において禁忌の対象とされ「ケガレ」と称される現象を、文化人類学における不浄性についての象徴分析の文脈のなかで議論し、捉え直した一連の論集。

一九七四年、一九七六年、一九七八年に掲載された学会誌『民族学研究』（現・『文化人類学』）の三本の論文を中心に、通過儀礼における境界理論、不浄性における両義性など文化人類学と民俗学で数多く扱われてきたいくつかのテーマを通して「不浄性」を幅広く論じた。文中で従来の議論における混乱や矛盾を批判したことから、その後論評されることが多く、出版社の意向で二度、新装版として再発行された。

論文中「ケガレ」という片仮名表記によって分析概念を示すことを提唱し、現在、研究者の間で広く受け入れられている。

▼1984

病気と治療の文化人類学

海鳴社

一九八四年刊。「医療人類学」という分野の名称が未だ一般的ではなかったために、こうしたタイトルを採用した。

一九八四年に『ケガレの構造』を刊行し翌年に『ケガレ』を書き下ろしで発表する過程で、次の研究テーマを模索しつつ、それまでの調査データを見直していた。その内、本論でも述べたように、不浄性の研究は病気についての文化的意味づけにもつながることに気づき、医療人類学における入門的で、筆者にとっては試作的な本書を書き下ろした。

本書では、文化人類学におけるエスノロジカルなデータ、自らの調査資料、近世・近代の二次資料をほぼ同じ比重で用いていて、病気が社会的に規定され、文化的に意味づけされ、また、治療法の開発と実践や患者（病人）の位置づけが文化的に規定されることを論じた。

新しいテーマ、新たな資料の使い方、文化人類学の意義の見直しなどにおいて転期となる著書である。

▼1985

ケガレ

東京堂出版、講談社

一九八五年、東京堂から刊行され、二〇〇九年、講談社学術文庫（一九五七）として再刊行される。

一九八四年に単著として刊行した論文集『ケガレの構造』に対し多くの論評が寄せられたが、その多くが、著者の論点から外れたものであるように思われた。それらの論評を考慮に入れたうえで書き下ろしたものが本書である。

議論の多くは、日本の民間信仰や慣習のなかで「ケガレ」あるいは「不浄」とされるものを取り上げ分類し、多様な表れ方をしているにもかかわらず一つの構造を持つものとして「ケガレ」が捉えられることを示すものとなっている。それに従えば「ケガレ」を分析概念として用いることが可能であるとして、『ケガレの構造』で展開した議論の補足をした。また、前書におけるよりも、「ケガレ」が差異化の指標として、日本では有効に働いていることを強調している。

▼1986

暮らしの中の文化人類学　福武書店（現　ベネッセ・コーポレーション）、出窓社

一九八五年四月から翌年三月まで五〇回にわたり、福岡市に本社を置くブロック紙『西日本新聞』に連載した記事に加筆修正して一九八六年に刊行したもの。その後、資料の一部を差し替え、出窓社より一九九九年に『暮らしの中の文化人類学・平成版』として再刊行した。

家族、老い、ジェンダー、誕生と死、若者と性などをテーマに、筆者の調査による一次データ、民俗学の明治末期以降に収集されたデータおよび一九四〇年代末からの筆者の経験をもデータとして用いて論じた。社会の変化が個人や家族をどのように変化させるか、個人は自分の周囲で起こる変化をどのように理解し対応するかについて述べた。

対談中に述べたように、研究論文としてではなく、一般読者を対象として文化人類学を論じるうえで、何が重要であるかを学習する貴重な経験となった本である。

▼1994

医療人類学入門

朝日新聞社

一九九四年刊ではあるが、医療人類学の入門書として現在も広く読まれている。『暮らしの中の文化人類学』や『いのちの文化人類学』は、連載が終わってから単著にまとめ、加筆修正して全体を構成した。一方、本書は医師や薬剤師、製品会社関係に読者を持つ『薬の知識』（保健同人社）に三年間にわたって連載したコラムと、歯科医師を読者とする『日本歯科医師会雑誌』に一年間にわたって連載するエッセイを、あらかじめ単著として構成した目次に従ってそれぞれの雑誌に掲載してもらい、連載終了後に単著とし出版した。

連載中に読者と編集者たちから、多くの質問や感想そして示唆をいただいた。それらを参考に、改めて、加筆修正し一冊にまとめたものである。

読者の専門性を意識して既述したにもかかわらず、その後「医療人類学」の領域名称の目新らしさからか、教科書としてだけではなく、一般読者にも読まれることになった。

▼1996

いのちの文化人類学

新潮社

『暮らしの中の文化人類学』のもととなった『西日本新聞』の連載から四年後の一九九〇年四月から再び一年間、五〇回「いのちの文化人類学」のタイトルで連載を行った。大幅に加筆し、一九九六年に刊行したのが本書である。

連載開始の数年前から、本格的に医療人類学の研究を始め、また、脳死臓器移植の是非をめぐる議論のなかで、死について、死後の身体、さらに死後にも周囲の人々が認める「死後の人格」など「いのち」についてさまざまな議論を多様な媒体を通じて発表してきた。連載では、これらのすでに発表した議論の内容を、新聞という媒体の性格をふまえ多様な背景を持つ読者に向けて、多くのエピソードを用いて述べた。こうした試みがあったからなのか、本書は、中学、高校、高等専門学校そして大学の入学試験問題に用いられている。

▼2001

生きる力をさがす旅

出窓社

二〇〇一年に『暮らしの中の文化人類学』の子ども版として書き下ろしたものである。一九九〇年代に入り、小、中学生が犯罪の被害者になる件数が増え、逆に加害者になる事件も続き、子どもをめぐる環境が大きく変わったことが気になってきた。社会的環境を子どもにとってより良いものに変える運動と同時に、子ども自身に、環境の変化に柔軟に対応できる力を幼い時から育てることも重要であると考えた。

小学校三年生から中学三年生までの子どもたちを読者として想定したが、幼い子どもを育てている若い親たちも手に取ってくれればと望んでいる。

本書は八つの節に分かれているが、二〇一〇年現在そのうちの四つが分冊となって刊行され近々残り四分冊も刊行される予定である。『いのちの文化人類学』と同じく、入学試験の問題として採用されたり、道徳の副読本や教科書に一部が採択されている。

あとがき

本書を刊行することができたのは、私にとっていくつもの意味で大きな喜びであり、その機会を作ってくださった対話者の小田博志氏に深く感謝する。

小田氏への感謝は、何よりも、私に、自分自身が行ってきた研究の方法を認識させてくれたことにある。「絶対に私の結論や議論のやり方は正しい」との確信のもとに、自分の論考を公けにしてきたのだが、その確信の根拠を理論的に、明確な言葉で表現することができないまま長年過ごしてきた。小田氏は「それは、アブダクションですね」と一言の下に、解決してくれ、私に新しい思索の道を拓いて見せてくれたのである。

二〇〇四年から二〇〇八年まで続いた国立民族博物館の共同研究「健康・医療・身体・生殖に関する医療人類学の応用学的研究」の議論のなかで、小田氏は時々「それはアブダクションだ」と発言しておられたが、私は辞書的な意味しか知らず、ほとんど注意を払わなかった。ところが、この企画の対話のなかで、度々引用した米盛裕二氏の『アブダクション——仮説と発見の論理』を勧められ、ページをめくるごとに「その通りだった！　ようやく自分を語ることができるようになった」という新たな発見の喜びに溢れていた。

この喜びは、私が、研究生活を始めて四五年近くたってはじめて見る世界を知った個人的な喜びだけではない。お茶の水女子大学に在職中、自分が主たる指導教員や副の指導教員として論文指導をした学生数と同数くらいの、他大学の学生たちが、自分たちが取り組んでいる質的研究についてアドバイスを受けに訪れていた。私への助言の要請は、調査の方法や分析に使うのに適切な理論についてであったが、最も多かったのは、自分は質的研究をやりたいし、そのつもりで調査データを集めたが、所属している研究科の教員はすべて量的研究を行う人々であり、どうすれば、指導教員を含めて教員に対して、質的研究を進める自分の立場を主張できるかということであった。

それに対し、量的研究では明らかにできないことを質的研究は対象にしていることを主張するうえでの具体的根拠を示し、アドバイスしていた。

現在では、アブダクションという論理学的概念を用いて、従来支配的であった帰納と演繹の二分法を超えて質的研究の独自の意義を示すことができるだろう。長年質的研究への無理解や誤解に対して苦闘してきた若い研究者に、本書が一助となることを願うものである。

最後に、本書の編集者である賀内麻由子さんに深く感謝する。賀内さんは、このような形式で方法論を示す可能性を示唆してくれただけでなく、小田氏との対話の交通整理をして下さったり、思いがけない質問をしたり感想を述べて、ハッとさせられることが度々あった。その部分を「インテルメッツォ」として挿入していただいた。自画自讃は避けたいところだが、面白い本になったと思っている。

波平恵美子

二〇一〇年七月二六日

著者紹介

語り手　波平恵美子　なみひら・えみこ

一九四二年福岡県生まれ。九州大学大学院博士課程単位取得満期退学、テキサス大学大学院博士課程修了（Ｐｈ・Ｄ取得）。お茶の水女子大学名誉教授、日本民族学会（現・日本文化人類学会）第一九期会長。専門は文化人類学、医療人類学。主な著書に『ケガレの構造』（青土社）『ケガレ』（講談社）『脳死・臓器移植・がん告知』『暮らしの中の文化人類学』（福武書店）『いのちの文化人類学』（新潮社〔新潮選書〕）、『日本人の死のかたち』『医療人類学入門』（朝日新聞社〔朝日選書〕）、『質的研究　STEP by STEP』（共著）『文化人類学』（編著、医学書院）などがある。

聞き手　小田博志　おだ・ひろし

一九六六年香川県生まれ。大阪大学大学院人間科学研究科博士課程単位取得退学。ハイデルベルク大学で博士号（Dr.sc.hum.）取得。現在、北海道大学大学院文学研究院教授。専門は人類学。現在、生命と自発性をキーワードにエスノグラフィーの深化を模索している。主な著書に『改訂版　エスノグラフィー入門』（春秋社）、『ナラティヴ・アプローチ』（共著、勁草書房）『人類学で世界をみる』（共著、ミネルヴァ書房）『生きる智慧はフィールドで学んだ――現代人類学入門』（共著、ナカニシヤ出版）など、訳書に『新版　質的研究入門』（ウヴェ・フリック、監訳、春秋社）などがある。

質的研究の方法　いのちの〈現場〉を読みとく

2010年7月30日　初　版第1刷発行
2023年9月30日　新装版第1刷発行

著　者＝波平恵美子＋小田博志
発行者＝小林公二
発行所＝株式会社 春秋社
〒101-0021 東京都千代田区外神田2-18-6
電話　(03)3255-9611（営業）
(03)3255-9614（編集）
振替　00180-6-24861
https://www.shunjusha.co.jp/
印刷所＝萩原印刷株式会社
装　丁＝高木達樹

Printed in Japan
ISBN978-4-393-33398-3 C0036　定価はカバーに表示してあります。